Femme PASSION

Dans la même collection

1. *L'année de l'amour,* Barbara Siddon.
2. *Le jeu du vent,* Paula Williams.
3. *Rhapsodies hongroises,* Heidi Strasser.
4. *Je le dompterai,* Aimée Duvall.

BARBARA SIDDON

L'ANNÉE DE L'AMOUR

PRESSES DE LA CITÉ
PARIS

Titre original :
DECEIVE ME, DARLING

Première édition publiée par Pageant Books, 225 Park Avenue South, New York 10003.

Traduction française d'Hubert Tézenas

ISBN : 2-285-00000-6

1

En ce jour de Noël, l'aéroport de Chicago était presque désert. Une valise à la main droite et un volumineux sac de toile rempli de cadeaux à la gauche, Cathlyn Tate marchait péniblement dans la neige épaisse. La tempête faisait rage. D'innombrables flocons virevoltants lui fouettaient le visage et s'accrochaient à ses longues mèches sombres. Enfin, la pâle lumière d'un taxi solitaire troua la grisaille. La jeune femme se mit aussitôt à courir comme elle pouvait.

– Taxi! Taxi! s'écria-t-elle dans la bise glacée, avant d'enfouir son menton dans le col de son manteau rouge.

Courant tête baissée, elle eut à peine le temps d'entrevoir la longue silhouette en anorak venue d'en face, qui se ruait elle aussi vers le taxi, avant de la percuter de front. Sous l'effet du choc, les cadeaux atterrirent dans la neige et Cathlyn sentit le sol se dérober sous ses pieds, mais l'inconnu lui attrapa vigoureusement les épaules juste à temps pour l'empêcher de tomber.

– Vous feriez bien de regarder devant vous, déclara-t-il en la relâchant.

– Vous aussi! répliqua-t-elle d'un ton cinglant.

Sur ce, elle lui tourna le dos pour ramasser à la hâte sa valise et ses cadeaux épars. Elle monta ensuite dans le taxi, mais à peine fut-elle installée qu'elle sentit l'homme s'y engouffrer à son tour sans la moindre cérémonie.

– Vous n'avez pas le droit..., protesta-t-elle.

– Écoutez, coupa l'homme en claquant la portière, ceci est le seul taxi dans un rayon de dix kilomètres. Je n'ai pas le choix. Où allez-vous?

Cathlyn détailla son voisin. Il était grand mince et large d'épaules. Il avait d'épais cheveux bruns, dont une mèche rebelle lui barrait le front. La singulière finesse de ses traits lui conférait une allure quasiment aristocratique. Son menton carré, plein d'assurance, semblait la défier. Elle comprit sans peine qu'il était bien décidé à rester. Aussi se décida-t-elle à répondre.

– Je vais au nord, sur la rive du lac, lâcha-t-elle d'un ton sec. Et je suis pressée.

– C'est sur mon chemin, remarqua l'homme tout aussi froidement. Puisque c'est aujourd'hui Noël, je veux bien vous déposer.

– Attendez un peu! C'est mon taxi!

– Erreur, fit l'inconnu en attardant sur elle ses yeux noisette. C'est notre taxi. Si chacun y met du sien, nous finirons bien par nous entendre.

– Vous êtes ici pour vous disputer ou vous voulez que je vous conduise quelque part? intervint le chauffeur en se retournant soudain. Je n'ai pas que ça à faire, moi!

– Prenez la direction de Fullerton, ordonna sèchement Cathlyn. Un fois sur place, je vous indiquerai le chemin.

Poussant un grognement approbateur, le chauffeur démarra.

– Mieux vaut retirer toute cette neige de vos

paquets, remarqua l'homme en indiquant les cadeaux entassés pêle-mêle dans le sac de toile. quand elle aura fondu, ce sera trop tard. Voulez-vous un coup de main?

Lorsque Cathlyn posa les yeux sur lui, il la regardait avec insistance. A l'arrière du véhicule, la tension retomba peu à peu.

– Ce n'est pas une mauvaise idée, dit-elle en prenant un paquet.

– Au fait, je m'appelle Marc Harrison, déclara l'homme en faisant de même.

Athlétique, il paraissait avoir quelques années de plus qu'elle, peut-être trente-quatre ou trente-cinq ans. Quelques gouttelettes de neige fondue perlaient sur la mèche désordonnée qui lui barrait lc front.

– Cathlyn Tate, répondit-elle au bout d'un instant.

– Joyeux Noël, Cathlyn. Dépêchons-nous, ou bientôt vos cadeaux ne seront plus du tout présentables.

Elle acquiesça, esquissant du bout des lèvres l'ébauche d'un sourire. Un à un, les paquets furent sortis et époussetés.

– Vous allez certainement faire des heureux avec tout ça, observa l'homme. Votre famille?

Cathlyn sentit monter sa tension. Elle était depuis si longtemps coupée de sa famille!

– Oui et non, fit-elle. J'ai passé la nuit de Noël chez ma sœur, à Detroit. Il faut maintenant que je fasse un saut chez moi avant de déjeuner chez... Arrêtez!

Avec mille précautions, elle prit des mains de Marc un petit paquet à rayures vertes et rouges.

– C'est très fragile, expliqua-t-elle.

– Qu'est-ce que c'est?

– Un angelot de cristal. Ses petites ailes torsadées sont d'une incroyable finesse... Et vous, que faisiez-vous à l'aéroport?

– Je reviens juste d'Aspen, répondit-il. Avez-vous déjà skié là-bas?

– Il y a une éternité..., éluda-t-elle. Vous allez retrouver votre famille?

– Oui, répondit-il en souriant. Je vais faire acte de présence au traditionnel déjeuner de Noël.

– A vous entendre, ça n'a pas l'air de vous emballer.

– Le devoir avant tout, fit-il d'un ton morne en consultant sa montre noire. A ce train-là, je ne risque pas d'être en avance... Eh, chauffeur! Il n'y aurait pas moyen d'accélérer un peu?

– Pour ça, il faudrait un chasse-neige, répondit l'autre. Si vous jetiez de temps en temps un petit coup d'œil par la fenêtre, vous comprendriez.

Marc et Cathlyn tournèrent simultanément la tête vers la vitre : des myriades de flocons tourbillonnants enveloppaient le taxi d'un blanc linceul.

– Pourquoi ne pas prendre la voie express? insista Marc.

– Ils l'ont fermée. Trop de neige, grommela le chauffeur en grattouillant de l'index sa barbe de deux jours.

Devant, un feu passa au rouge. Le chauffeur appuya sur le frein. Les pneus patinèrent, le taxi se mit en travers de la route et glissa au ralenti sur la neige pour s'immobiliser enfin au beau milieu du carrefour.

– J'avais pourtant bien dit à ma femme de m'acheter des chaînes, marmonna l'homme. Bon, je crois qu'il va falloir prendre un raccourci. Dans ce quartier, mon frère travaille comme chauffeur de chasse-neige. Les rues de derrière sont sûrement déblayées.

Cathlyn fronça les sourcils. Elle serait certainement en retard à son déjeuner. Quant à Marc Harrison, bien qu'il ne semblât pas enthousiasmé par la perspective d'un repas de famille, il avait l'air tout aussi pressé qu'elle.

Le taxi emprunta une rue latérale qu'il remonta lentement entre les rangées de voitures qui disparaissaient déjà sous une énorme couche de neige. Derrière les fenêtres des maisons de brique rouge, on apercevait parfois un sapin de Noël qui clignotait joyeusement de toutes ses ampoules.

Jetant un bref coup d'œil sur sa droite, Cathlyn s'aperçut qu'elle était assise si près de Marc qu'elle le touchait presque, mais ne fit rien pour s'écarter. D'ailleurs, il ne semblait pas y avoir prêté attention.

– On aura de la chance si on arrive chez nous pour le Nouvel An, lança celui-ci à l'intention du chauffeur.

– Vous avez une meilleure idée de trajet? répliqua l'homme au volant, visiblement impatient.

– Oui, intervint soudain Cathlyn. Conduisez-nous au métro.

– Au métro? répéta Marc, tentant vainement de se rappeler quand il avait pris un train pour la dernière fois.

– A vos ordres, mam'zelle, opina le chauffeur. Mais d'ici à la station la plus proche, ça fait encore une sacrée trotte.

– Peut-être irons-nous quand même plus vite en taxi, renchérit Marc. Vous êtes sûre que le métro fonctionne le jour de Noël?

– Évidemment! Vous n'êtes pas d'ici?

– Si, mais les transports en commun ne me sont pas particulièrement familiers, je l'avoue.

Cathlyn, étonnée, regarda son voisin de biais.

– Faites comme vous voudrez, dit-elle. Vous n'avez qu'à me déposer au métro.

Marc hésitait. Pour une mystérieuse raison, cette femme en rouge le fascinait. Même s'il ne savait pratiquement rien d'elle, l'idée de la quitter déjà lui semblait odieuse. Il avait fort envie de l'accompagner un peu plus avant, quitte à prendre le métro.

– Vous êtes vraiment si pressée? s'enquit-il.

– Je crois que j'ai simplement hâte de me retrouver chez moi. Et puis c'est aujourd'hui Noël, ne l'oubliez pas. Ca n'arrive qu'une fois par an et l'heure tourne.

Ils poursuivirent leur route en silence, dérapant sur la neige à tous les carrefours. De temps en temps, le chauffeur lâchait quelques imprécations étouffées sur sa femme et l'épouvantable climat de Chicago. Cathlyn espérait qu'il connaissait le chemin, car elle était positivement perdue.

Une motoneige surgit tout à coup devant eux, et le chauffeur écrasa le frein en faisant hurler le klaxon. Aussitôt, le taxi se mit à tourner sur lui-même et, en un réflexe, Marc se jeta sur Cathlyn et la serra dans ses bras pour la protéger. Après une série de pirouettes qui leur sembla durer des heures, la voiture vint enfin buter dans une énorme congère et s'immobilisa.

– Tout va bien? s'inquiéta Marc.

Confuse, Cathlyn, qui d'instinct avait blotti son visage contre le torse de Marc, se redressa vivement. Tremblant quelque peu, elle respira une longue bouffée d'air et son compagnon d'infortune la relâcha tout à fait.

– Je crois que ça va, répondit-elle d'une voix tremblante. Que s'est-il passé au juste?

Elle se garda bien d'ajouter que les glissades du

taxi n'étaient pas la principale raison de son trouble. L'étreinte de Marc lui avait mis les sens en ébullition.

– Vous n'avez pas vu passer ce fou furieux en motoneige? rugit le chauffeur en s'extirpant du taxi. Il y a vraiment des coups de pied quelque part qui se perdent!

Lorsque Marc ouvrit sa portière à son tour, une volée de flocons rageurs s'engouffra dans l'habitacle. Passant la tête au-dehors, il constata que les roues arrière étaient profondément prises dans la congère.

– On est coincés, annonça le chauffeur en se grattant la tête.

– Je m'en doutais, fit sèchement Cathlyn. Et maintenant?

– On va pousser, décida Marc.

Cathlyn suivit les deux hommes à l'extérieur. Ses bottes de cuir noir s'enfonçaient entièrement dans la neige. Mais ni Marc ni le chauffeur ne prêtèrent la moindre attention à ses conseils, pas plus qu'à ses diverses tentatives en vue de les aider.

– Mam'zelle, lâcha finalement ce dernier, exaspéré, vous feriez mieux de rentrer à l'avant de la voiture pour faire contrepoids!

Trop heureuse de pouvoir échapper à la tempête, Cathlyn s'exécuta sans protester. Pendant une bonne demi-heure, les deux hommes s'acharnèrent à déblayer le train arrière du taxi à l'aide d'un vieux gobelet à café, puis à le pousser en cadence, mais ils durent se rendre à l'évidence : si les pneus tournaient bien à vide, le véhicule ne bougeait pas d'un pouce.

Cathlyn attendait toujours à l'intérieur, se creusant la cervelle pour trouver une solution, lorsqu'une série de bouffées de fumée noire s'échappa soudain du capot. Aussitôt, le chauffeur se mit à gesticuler furieusement, tandis que Marc faisait en courant le tour de l'auto. Elle fut tentée de les rejoindre, mais changea promptement d'avis.

Chevelure couverte de neige et joues violacées, Marc ouvrit la portière quelques instants plus tard et lui fit signe de descendre.

On n'ira plus nulle part dans cette guimbarde, annonça-t-il. Le moteur nous a lâchés. Venez.

En le regardant, Cathlyn sentit qu'il n'était déjà plus tout à fait un étranger pour elle. Les circonstances les avaient rapprochés.

– Dans ce cas, dit-elle en sortant du taxi, nous avons intérêt à trouver rapidement une solution. C'est aujourd'hui Noël, ne l'oublions pas.

– Judicieuse remarque. Vous avez une idée?

– Pas encore, répondit Cathlyn en promenant son regard sur la rue blanche et silencieuse sur laquelle s'abattaient toujours des myriades de flocons.

– Dépêchons-nous, invita Marc, quelques mètres devant elle, en lui tendant la main.

Mais Cathlyn restait immobile, fascinée par l'irréelle beauté des vieilles boutiques aux auvents chargés de neige qui, tapies derrière leurs grilles de fer, tentaient d'éclipser la tourmente en arborant au fond de leurs vitrines embuées des sapins de Noël aux guirlandes multicolores.

– Attendez-dit-elle. Regardez, c'est splendide!

Marc posa les yeux sur la jeune femme qui venait à sa rencontre. Le froid teintait ses joues d'un rose violent, ses yeux bleus scintillaient dans l'éclatante blancheur du décor. Telle une princesse nordique, elle se mouvait avec aisance dans la neige.

– Oui, splendide..., opina-t-il sans la quitter un instant du regard.

– Alors? reprit celle-ci, soudain mal à l'aise. Où allons-nous?

– Là-bas, dit Marc en indiquant une étroite vitrine éclairée qui s'ouvrait à quelque distance. Le chauffeur dit qu'il y connaît quelqu'un.

Ils remontèrent la rue déserte jusqu'à la porte vitrée où le chauffeur s'était engouffré quelques instants auparavant. La vitrine était surplombée d'un néon rose bonbon qui annonçait *Chez Josie* en clignotant.

Marc ouvrit la porte et s'effaça pour laiser passer la jeune femme. A l'intérieur flottait une odeur indéfinissable, mélange de vieux café, de plastique, de friture et de cire à parquet. La radio diffusait une version nasillarde de *Petit Papa Noël*. Cathlyn considéra brièvement les quelques clients perchés devant le bar sur de hauts tabourets métalliques avant d'arrêter son regard sur les petites tables recouvertes de toile cirée aux tons criards.

– C'est ici que nous allons passer Noël? glissa-t-elle à Marc en considérant d'un œil pensif les guirlandes de papier argenté qui, partant des quatre angles du plafond graisseux, venaient laborieusement s'enrouler autour d'un sapin de plastique juché sur une table au milieu de la salle.

– Pas pour tout l'or du monde, murmura Marc, fasciné lui aussi.

– Salut, ma poulette! lança le chauffeur à l'opulente blondasse qui se tenait derrière le comptoir. Comment va la belle Josie?

– Joyeux Noël, répondit celle-ci en se penchant sur le zinc pour lui donner l'accolade. Ton frère Joe m'a dit qu'il passerait un peu plus tard. Qui c'est, ces deux-là? ajouta-t-elle en désignant Marc et Cathlyn, toujours immobiles près de la porte. Des amis?

– Oh..., fit le chauffeur, qui semblait les avoir oubliés. C'est des clients. Mon tacot est coincé dans une congère et le moteur est en panne.

– Il va donc bien falloir que tu passes Noël avec nous, s'écria Josie, rayonnante. Hé, Millie, refais-nous du café! lança-t-elle par-dessus son épaule avant de se retourner vers Marc et Cathlyn. Asseyez-vous donc! Plus on est de fous, plus on rit!

– Je croyais que vous ne vouliez pas passer Noël ici, murmura Cathlyn, suivant à contrecœur son compagnon vers une table située dans le coin de la salle.

– Je suis en train d'y réfléchir, répondit celui-ci en se débarrassant de son anorak. Autant nous mettre à l'aise.

Galamment, il l'aida à ôter son manteau. Lorsque ses doigts effleurèrent la robe de soie rouge, la jeune femme ne put s'empêcher de frémir. L'avait-il fait exprès?

En le regardant s'asseoir, elle se demanda d'où venait ce charme mystérieux qui la séduisait tant. Sans doute n'était-il pas marié, puisqu'il revenait seul des sports d'hiver pour passer Noël avec sa famille. Ses vêtements, ses manières et son comportement, tout en lui suggérait la richesse et le pouvoir. Dans sa jeunesse, elle avait eu affaire à des gens de cette trempe : son père en était le meilleur exemple. Ce monde-là, elle lui avait depuis longtemps tourné le dos. Pourtant, Marc ne lui faisait pas le même effet. Peut-être le trouvait-elle tout simplement sympathique. Son nom lui disait vaguement quelque chose, mais elle était néanmoins certaine de ne l'avoir jamais rencontré, car son visage n'était point de ceux qu'on oublie aisément. Qui était-il? Elle hésitait à le lui demander.

– Vous avez faim? lui demanda soudain Marc.

– Pas spécialement, dit-elle, prise de court.

– Moi, si, reprit-il en consultant sa montre. Ils sont probablement déjà tous à table, en train de se demander ce que je fabrique.

– Vous n'avez qu'à téléphoner, suggéra Cathlyn. C'est ce que je vais faire.

– Pas avant d'avoir commandé quelque chose. Allez-y d'abord, pendant que j'essaie de voir ce qu'on va pouvoir se mettre sous la dent.

Cathlyn traversa la salle et glissa une pièce dans la fente du téléphone. Au bout d'un instant, elle donna de la paume une série de petits coups sur l'appareil. La ligne était muette.

– Doucement, lui lança Josie depuis le bar. Même à coups de hache, vous n'arriverez à rien. La ligne est coupée.

– Pas de chance, hein? fit Marc lorsqu'elle l'eut rejoint.

– Nous voici aussi coincés que sur une île déserte, bougonna la jeune femme.

– Peut-être, mais sur une île déserte, il aurait fallu nous contenter de poisson et de noix de coco. Ici, au moins, il y a de la dinde aux marrons.

– Vous n'avez pas commandé ça, j'espère!

Pour la troisième fois depuis leur arrivée, la radio entonna *Petit Papa Noël.*

– Pourquoi pas? dit-il en souriant. Après tout, c'est Noël.

Si le café, gracieusement offert par la maison, était noir comme du goudron, la dinde paraissait fort convenable et Cathlyn, mise en appétit, s'en servit une belle assiettée.

– Vous m'avez dit que vous reveniez de chez votre sœur, dit Marc entre deux bouchées. Vos parents vivent ici ?

– Non, éluda la jeune femme, qui ne tenait pas à aborder ce chapitre. Je venais passer Noël avec des amis. Avez-vous déjà entendu parler du Foyer des anges ?

Marc faillit sursauter, mais prit une nouvelle bouchée de dinde pour masquer son trouble.

– Le Foyer des anges ? répéta-t-il.

– C'est un endroit sur la rive gauche qui accueille des filles sans famille, expliqua Cathlyn, l'œil soudain luisant d'enthousiasme. Le foyer appartient à mon amie Jeannie Mohanan et à son mari Tommy.

Mangeant toujours, Marc hésitait à lui apprendre qu'elle venait de mettre le doigt sur une de ces singulières coïncidences qui rapprochent parfois deux parfaits inconnus. Cependant, il n'aimait guère parler de ses contributions aux œuvres charitables, dont il laissait d'ailleurs l'entière responsabilité à son comptable. Il préférait quant à lui rester dans l'ombre.

– Quel rapport le Foyer des anges a-t-il avec votre Noël ?

– J'avais promis de passer la journée avec eux. Je joue de la guitare. Je devais les accompagner pendant qu'ils chantaient des cantiques. De tous les jours de l'année, Noël est le plus pénible pour les gosses privés de leur famille.

Ému, Marc faillit lui dire qu'il connaissait le Foyer des anges, mais se reprit à temps. N'y ayant jamais mis les pieds, il ne s'était intéressé jusqu'alors qu'aux livres comptables de l'institution.

– Voilà pourquoi vous êtes si pressée, n'est-ce pas ?

– Oui, répondit-elle. Ils comptaient beaucoup sur moi... J'avoue que ce repas m'a plu, fit-elle en considérant son assiette vide. J'avais très peur d'une infâme tambouille.

– Il ne faut pas se fier aux apparences, sourit Marc. Bon, si nous cherchions à sortir d'ici ? Mon frère possède un quatre-quatre. Il doit être arrivé chez mes parents depuis longtemps, mais je suis sûr qu'il acceptera de venir nous chercher.

– Et comment comptez-vous le prévenir ? Par pigeon voyageur ?

– C'est vrai, fit Marc en fronçant les sourcils. Toutes les lignes du quartier sont en dérangement, à ce que j'ai entendu.

– Je vous apporte un peu de café bien chaud, intervint Josie en posant une cafetière sur la toile cirée.

– A quelle distance est le métro ? demanda Cathlyn.

– Trois ou quatre kilomètres, estima la blonde. Mais par ce froid, vous n'y arriverez pas à pied. Il fait bien moins vingt et le thermomètre dégringole toujours. Laissez tomber, c'est tout ce que j'ai à vous dire.

A cet instant, la porte du bar s'ouvrit en grand. Accompagné d'une bourrasque polaire, un homme trapu vêtu d'une veste de bûcheron et de bottes pénétra dans la salle.

– Hé, Joe ! s'écrièrent en chœur le chauffeur et Josie. Tu as réussi à arriver jusqu'ici !

L'arrivant apostropha joyeusement la plupart des convives, puis jeta un regard curieux en direction de Cathlyn et de Marc.

– Tu travailles aujourd'hui, Joe ? s'enquit Josie.

– Ouais, répondit celui-ci. Quel sale temps ! On a de la neige jusqu'au cou, ma parole ! Est-ce qu'il te reste un peu de ton célèbre café ?

– Juste comme tu l'aimes, Joe, fit la patronne en lui clignant de l'œil.

Aussitôt servi, Joe referma ses énormes mains sur son bol et en but le contenu d'une traite sous l'œil intrigué de Cathlyn.

– Vous croyez que c'est le frère du chauffeur?

– On dirait bien, répondit Marc. N'est-ce pas lui qui conduit un chasse-neige?

– Peut-être. Attendez..., fit la jeune femme, sentant une idée germer dans son esprit. S'il conduit un chasse-neige et s'il est arrivé jusqu'ici, ça veut dire qu'il est aussi capable d'en repartir...

– C'est donc notre sauveur, conclut Marc.

– Qui lui demande? chuchota Cathlyn en se penchant sur la table. Vous ou moi?

– Attendons un peu, fit Marc en se carrant dans son siège. Mieux vaut le laisser finir d'abord ce café, qui devrait le réchauffer substantiellement. Ensuite, nous déciderons s'il est préférable d'en appeler à son portefeuille ou, en ce jour de Noël, à ses bons sentiments.

– Son frère pourrait peut-être s'en charger, dit Cathlyn. Après tout, c'est lui qui nous a mis dans ce pétrin.

– Un point pour vous, admit Marc, qui n'avait pas songé à cette troisième possibilité.

Ils attendirent une vingtaine de minutes, pendant que Joe vidait deux platées de dinde et plaisantait avec Josie. Après s'être promenés autour de la salle enfumée, les yeux de Cathlyn revinrent se poser sur son mystérieux compagnon. Les traits anguleux de son visage bronzé exprimaient la force et l'assurance d'un homme puissant. Lorsque leurs regards se croisèrent, la jeune femme sentit une douce chaleur monter en elle. Malgré son métier de psychologue, elle ne parvenaît pas à s'expliquer pourquoi, bien qu'elle désirât sincèrement revoir son amie Jeannie et les pensionnaires du foyer, elle n'était plus si pressée de quitter ce bar perdu.

– Votre nom ne m'est pas inconnu, remarqua-t-elle avec une indifférence affectée. L'aurais-je déjà entendu quelque part?

– Ça m'étonnerait, s'empressa de répondre Marc, qui soudain n'avait plus envie de lui dire qui il était, craignant que sa richesse et son train de vie ne viennent s'interposer entre eux.

– Dans quelle branche travaillez-vous?

– Je suis... disons... dans le bâtiment.

Elle garda le silence, attendant qu'il en dise plus.

– Voulez-vous un dessert? demanda-t-il à la place. Josie m'a parlé d'une tarte maison.

– Non merci, je n'ai plus faim, fit Cathlyn en lui décochant de biais un coup d'œil soupçonneux.

– Dans ce cas, déclara-t-il en se levant vivement, je vais aller parler à Joe de notre problème.

Il partit vers le comptoir d'une démarche souple, gratifia le chauffeur d'une solide claque dans le dos et engagea la conversation avec son frère. Bientôt, Cathlyn les vit rire tous ensemble. A l'évidence, il avait éludé sa question. Que faisait-il exactement dans le bâtiment? Était-il entrepreneur? Promoteur? Rien de tout cela ne correspondait tout à fait à l'image qu'il donnait de lui. Tout à coup, Joe et son frère se tournèrent vers elle, qui répondit par un aimable sourire. Tandis que Marc continuait à parler, ils hochèrent la tête d'un air approbateur. De quoi parlaient-ils? Enfin, elle vit Marc tirer deux billets de son portefeuille et en tendre un à chacun des deux frères. Leur sourire s'élargit encore lorsqu'ils empochèrent l'argent. L'affaire était conclue, songea-t-elle. En revenant vers elle, Marc arborait un sourire malicieux.

– Vous avez réussi? s'enquit Cathlyn.

– C'est passé comme une lettre à la poste.

– Les bons sentiments n'ont pas suffi, n'est-ce pas?

– Non, il a fallu abattre tous nos atouts, confirma-t-il en riant avant de poser sur elle un regard soudain redevenu grave. Avant que nous partions, il y a une ou deux petites choses que vous devriez peut-être savoir...

– Par exemple? fit Cathlyn, vaguement inquiète.

Marc considéra l'addition et sortit de nouveau son portefeuille.

– Je leur ai dit que nous venions de loin, que nous avions décidé hier soir de nous marier et que nous étions en route pour annoncer la bonne nouvelle à votre famille.

– Vous avez dit quoi? s'écria Cathlyn, les yeux écarquillés.

– Que Noël était le meilleur moment pour leur faire part de notre décision. Et j'ai ajouté que si nous arrivions trop tard, nous trouverions porte close et serions obligés de dormir sur le palier dans un sac de couchage.

– Vous n'aviez pas le droit! s'écria Cathlyn, comprenant à présent le sens des regards entendus que les trois hommes n'avaient cessé de s'échanger pendant leur conciliabule.

– Pourquoi? protesta Marc d'un air innocent. Ça a marché, non?

– C'est scandaleux! tonna la jeune femme en se levant d'un bond. Montrez-moi l'addition, je tiens à payer ma part.

– Je vous invite, pouffa Marc. Avez-vous déjà vu quelqu'un demander à sa fiancée de payer la moitié d'un repas de Noël?

– Taisez-vous! s'exclama Cathlyn, luttant pour ne pas rire, en prenant la direction de la porte après avoir enfilé son manteau.

Marc la retint par le bras. En lui faisant face, elle se retrouva à quelques millimètres de lui, et l'odeur virile qui émanait de son corps souple lui mit les sens en ébullition.

– Il y a encore autre chose, fit-il.

– Quoi donc? Quelle autre histoire à dormir debout leur avez-vous racontée? s'indigna-t-elle, au bord du fou rire.

– Vous vous méprenez. C'est au sujet du chasse-neige.

– Eh bien? interrogea Cathlyn en croisant les bras.

– C'est un camion à ordures reconverti.

– Quoi? s'écria-t-elle, incrédule.

– Un camion à ordures. C'est le seul véhicule disponible, dit-il en l'entraînant vers la porte. Venez, nous allons récupérer nos bagages dans le taxi.

Le camion était garé juste devant la porte, silhouette familière avec sa benne et son broyeur, transformé en chasse-neige de fortune au moyen d'un sommaire appareillage monté à l'avant, comme c'était la coutume à Chicago lorsque les chutes de neige étaient trop abondantes pour les services de déblaiement réguliers.

– Passer Noël dans un camion à ordures..., soupira Cathlyn. Je commence à me demander si ma sœur était sincère quand elle m'a souhaité de passer une bonne journée.

Si le vent glacial s'était de nouveau levé, la

neige, elle, avait pratiquement cessé. A l'arrière du taxi, Cathlyn récupéra ses cadeaux et les rangea dans son sac en toile. Marc, lui, sortit de la voiture sa valise et celle de la jeune femme. Là où le chasse-neige venait de passer, balayant la neige fraîche, une croûte de glace scintillait dans la lumière, rendant la chaussée particulièrement glissante. Aussi, après quelques pas, Marc prit-il la main de Cathlyn, qui trouva ce geste naturel et se laissa docilement guider, sans plus penser à rien. Elle fut presque surprise de retrouver Joe et son frère qui les attendaient à côté du camion.

– Nous montons tous là-dedans? s'enquit-elle en considérant le minuscule habitacle du véhicule.

– Ouais, confirma le chauffeur de taxi.

– Comment voulez-vous qu'on y tienne à quatre avec nos bagages? insista-t-elle, songeant à ses cadeaux entassés.

– C'est un peu juste, fit Joe en adressant à son frère un clin d'œil entendu, mais étant donné les circonstances...

L'autre pouffa de rire. Marc, lui, mit tous ses efforts à garder son sérieux.

– Allons-y, poursuivit Joe en s'adressant à Marc. Passez-moi les bagages, puis vous vous installerez d'abord, et la demoiselle ensuite.

Non sans appréhension, Cathlyn vit disparaître son compagnon à l'avant du monstre. Un courant d'air glacé la fit frissonner. Elle avait l'impression que ses pieds n'allaient pas tarder à geler.

– A votre tour, mam'zelle, lui lança Joe.

Après une tâtonnante escalade, elle atteignit l'habitacle et se retrouva installée sur les genoux de Marc, ensorcelée par sa mâle présence. Son souffle chaud lui caressait la nuque, ses bras puissants lui encerclaient la taille.

– Vous êtes gentiment installés tous les deux, remarqua, goguenard, le chauffeur de taxi, en prenant place près de son frère.

– Ça va? s'enquit Marc.

– Ça pourrait être mieux, admit-elle en se tortillant pour échapper à la poignée de portière qui lui rentrait dans la hanche.

Relâchant son étreinte, Marc posa une main sur la cuisse de la jeune femme et l'y laissa, éveillant en elle un concert de sensations brûlantes qui lui mirent le feu aux joues. Joe se pencha vers son frère et lui murmura quelque chose qui mit ce dernier en joie.

– Nous en avons pour combien de temps? demanda Cathlyn.

– Une vingtaine de minutes, répondit Joe en démarrant. Ça dépend de ce que nous déblaierons sur le trajet.

– Vous ne pourriez pas nous déposer d'abord et déblayer ensuite? s'écria-t-elle pour couvrir le rugissement du moteur.

– Vous n'allez pas me dire que vous n'êtes pas bien, si? s'esclaffa Joe. Mettez-vous à l'aise, mam'zelle. Vous n'avez qu'à faire comme si on n'était pas là, mon frangin et moi!

L'engin s'ébranla dans un tourbillon de neige. Derrière elle, Cathlyn sentait le torse de Marc secoué de rire. Apparemment, tout le monde trouvait la situation follement drôle. Dans ces conditions, elle avait bien le droit de s'amuser un peu elle aussi.

– Quelle merveilleuse façon de passer notre premier Noël ensemble, mon chéri! dit-elle en se tortillant pour s'installer sur ses genoux. Laisse-moi m'approcher un petit peu de toi...

Elle lui enlaça le cou et lui déposa un vif baiser

sur la joue. A lui, maintenant, de montrer ce qu'il valait dans le rôle de l'amoureux transi.

Marc se râcla la gorge. Elle le sentit qui, tout contre elle, se raidissait imperceptiblement.

– Ma parole, chérie, tu trembles comme une feuille, lança-t-il avec un empressement outré. Laisse-moi te réchauffer...

Resserrant son étreinte, il la cala au creux de ses reins et plaqua sa joue contre la sienne. Cathlyn, surprise, voulut se dégager, mais ne parvint dans son geste qu'à enfouir son visage dans la chevelure soyeuse de son compagnon. Troublée et prise au piège, elle décida de continuer à jouer le jeu.

– Peut-être pourrions-nous passer toute la soirée ici, souffla-t-elle d'une voix sensuelle. D'ici, on a une si belle vue sur les choses...

– Non, mon amour, non. Tu verras, ce soir, quand nous serons à la maison, nous...

Marc dut s'interrompre, le ton suggestif de sa déclaration ayant soulevé à sa gauche un concert de gloussements.

Comprenant qu'elle aurait difficilement le dessus, Cathlyn jugea qu'il était temps de changer de sujet. En outre, si elle se laissait aller aux délicieuses sensations que lui procurait la situation, elle ne parviendrait pas longtemps à garder les idées claires.

– Nous pourrions peut-être chanter un cantique de Noël, suggéra-t-elle.

Marc lui jeta un coup d'œil incrédule. Joe, lui, éclata de rire, puis entonna soudain *Mon beau sapin* d'une voix tonitruante. Un à un, tous se joignirent à lui en un chœur singulier, rythmé par les coups de boutoir de la pelleteuse. Plus ils chantaient fort, plus Joe roulait vite et plus ils rebondissaient sur leurs sièges.

– Personne ne nous croira, murmura Cathlyn à l'oreille de Marc entre deux couplets. C'est le Noël le plus fou que j'aie jamais passé!

Celui-ci opina du chef, songea qu'à des millions d'années-lumière, sa famille était réunie dans la vaste villa coloniale, dégustant du vin nouveau autour d'une table somptueuse et dissertant comme toujours sur les dernières oscillations de la Bourse. Lui, pendant ce temps, était installé à l'avant d'un camion à ordures et s'y sentait parfaitement heureux. La chaleur du corps de Cathlyn contre le sien lui procurait un intense plaisir.

– Arrêtez! s'écria soudain la jeune femme.

Le camion s'immobilisa enfin dans un grincement de ferraille, non loin d'un symbole lumineux qui marquait l'entrée d'une station de métro.

– Nous y sommes, mam'zelle, confirma Joe. Vous êtes sûre que vous ne voulez pas pousser un peu plus loin?

– Pas ce soir, intervint Marc.

– Ah oui, j'oubliais! s'exclama Joe. Il y a ce petit problème de sac de couchage!

Encore une fois, lui et son frère éclatèrent de rire. Une fois à terre avec leurs bagages, Marc et Cathlyn firent quelques mouvements d'assouplissement, tandis que le camion redémarrait.

– Joyeux Noël! leur lança le chauffeur, agitant le bras. J'espère que vous arriverez à temps!

Restés seuls, Cathlyn et Marc se regardèrent longtemps puis éclatèrent de rire, ébahis par l'absurdité totale de la situation. Soudain, Marc se pencha en avant et déposa un léger baiser sur la joue rosie de la jeune femme. Il y eut un instant de silence, puis il lui prit délicatement la main et l'entraîna vers la station. Lorsqu'ils atteignirent le quai, un train quasiment vide venait de déboucher du tunnel. Aussitôt montés dedans, ils allèrent s'effondrer sur la banquette la plus proche. Pendant tout le trajet, ils rirent ensemble à l'évocation des souvenirs de leur folle journée.

– C'est ici que je descends, s'écria tout à coup Cathlyn, qui n'avait pas vu le temps passer.

Les portes s'ouvrirent, elle n'eut que le temps d'empoigner sa valise et son sac avant de sauter à bas de la rame.

– Cathlyn! s'écria Marc juste avant la fermeture des portes. Attendez! Cathlyn! Votre nom de famille! Je l'ai oublié!

Le train s'ébranla et fut aussitôt avalé par le tunnel. Seul dans le wagon, nerveux, Marc fit longtemps les cent pas en tentant de se rappeler le nom de la jeune femme, mais tous ses efforts furent vains. De guerre lasse, il finit par se rasseoir. Comment pourrait-il la retrouver? La reverrait-il un jour? Il ne lui restait plus qu'à espérer que sa mère lui avait gardé un peu de dessert.

Après le départ de la rame, Cathlyn remonta lentement les escaliers vers la sortie. Jamais elle n'oublierait ce Noël, même si Marc Harrison disparaissait pour toujours de sa vie. Lorsqu'elle émergea à l'air libre, le vent soulevait partout des nuages de neige glacée. Tout le temps qu'elle longea Lincoln Park, l'image de Marc ne cessa de la hanter. Dans le silence et le froid, avec le vent pour tout compagnon, elle sentait plus que jamais l'immense poids de sa solitude.

2

APRÈS avoir ouvert l'imposante porte de chêne massif, Marc pénétra dans les locaux de la firme Harrison S.A., installés dans une villa de pierre de taille rénovée.

– Bonjours, madame James, lança-t-il à sa secrétaire au passage, en repliant son parapluie sans cesser d'avancer vers son bureau.

– Bonjour, monsieur Harrison, répondit une petite blonde aux ongles peints à demi cachée derrière une foison de plantes tropicales. Vous trouverez votre courrier et les journaux sur votre bureau. Au fait, vous avez rendez-vous avec votre frère dans un quart d'heure.

Marc acquiesça de la tête avant de refermer sur lui la porte de son bureau particulier. Il se débarrassa de son parapluie et de son manteau de cachemire beige, puis alla s'asseoir au bout de la table de conférence en acajou pour y feuilleter, comme tous les jours, son courrier. Rien de réjouissant, songea-t-il au bout d'un instant. Ces lettres étaient aussi déprimantes que le temps ces derniers jours. Tournant la tête vers la baie vitrée, il contempla avec tristesse la pluie qui dégoulinait interminablement sur le verre fumé. A Chicago, mars était décidément un mois épouvantable. Un éclair déchira le ciel noir, aussitôt suivi d'un roulement de tonnerre. L'interphone sonna.

– Monsieur Harrison? grésilla la voix de sa secrétaire. N'oubliez pas de consulter la page affaires du journal d'aujourd'hui, on y trouve un article sur un des derniers projets de la Harrison S.A., cc complexe de boutiques qui doit être inauguré la semaine prochaine.

Après avoir marmonné une approbation, Marc raccrocha, rouvrit le quotidien et entreprit de le feuilleter jusqu'à la page Affaires. Soudain, son attention fut attirée par la photo d'un groupe de psychologues qui venaient de publier une étude poussée sur le stress des chefs d'entreprise. Au milieu de plusieurs hommes à la mine austère, une séduisante jeune femme aux longs cheveux sombres souriait à belles dents. Son visage lui rappelait quelque chose. Les yeux de Marc survolèrent la légende imprimée sous le portrait. Il eut tôt fait de trouver ce qu'il cherchait. « Dr Cathlyn Tate, vice-président de l'Association des psychologues de Chicago... »

– Nom d'une pipe! s'écria Marc, les traits illuminés d'un flamboyant sourire.

On frappa à la porte. Lorsqu'il eut répondu, la haute silhouette de son frère se découpa sur le seuil. Sans lâcher le journal, Marc se leva d'un bond et marcha à lui.

– Regarde un peu ça, Andy! annonça-t-il avec enthousiasme. Il y a là-dedans une photo de cette fille en manteau rouge dont je t'ai déjà parlé!

– Tu veux parler de la beauté que tu as rencontrée à Noël? demanda son frère en ôtant son imperméable dégoulinant.

– Exact, fit Marc en lui mettant la photo sous le

nez. Regarde-moi cette merveille! Elle a du chien, non?

Andy étudia le portrait, puis laissa échapper un sifflement admiratif.

– Splendide, déclara-t-il. Dois-je en conclure qu'une nouvelle femme se prépare à entrer dans ta vie?

– Peut-être, dit Marc en décrochant une nouvelle fois l'interphone. Madame James? Il faut que vous me trouviez le numéro de téléphone du Dr Cathlyn Tate. Renseignez-vous auprès de l'Association des psychologues de Chicago.

– A mon avis, observa Andy en s'asseyant en face de son frère, cette femme n'est pas ton genre.

– Comment ça?

– J'ai du mal à imaginer une éminente psychologue dans les bras d'un play-boy de ton espèce.

– Je suis architecte, rectifia Marc, non sans une lueur de colère dans le regard. Parce que je n'ai pas voulu faire Harvard comme tous les autres Harrison, tu me considères comme...

Il fut interrompu par la sonnerie de l'interphone. Après avoir décroché, il griffonna un numéro à la hâte sur son bloc-notes.

– J'ai son téléphone! annonça-t-il, triomphant, à son frère impassible.

– Évidemment, si elle s'intéresse à ton argent, ça change tout, poursuivit Andy sans tenir le moindre compte des propos de Marc. Exactement comme la dernière... Comment s'appelait-elle, déjà? Une vraie croqueuse de diamants!

– Laisse tomber les sermons, répliqua Marc, le sourire aux lèvres, en contemplant de nouveau la photo de Cathlyn. Cette femme est différente des autres.

– Au début, elles le sont toutes.

– Je ne crois pas qu'elle soit attirée par l'argent.

– Toutes les femmes sont attirées par l'argent. Simplement, certaines sont plus chères que d'autres.

– Quel cynisme! Cette fois, de toute façon, je change de tactique. Elle ne sait rien de moi, et je ne suis pas obligé de lui apprendre quoi que ce soit avant de la connaître un peu mieux. Bref, il va falloir que je joue en sourdine.

– Toi? En sourdine? Ce n'est pas tellement ton style, je te connais! Si tu n'as pas réussi à mettre une fille dans ton lit dès le deuxième rendez-vous, tu es au désespoir!

– Tu as trop vu de films porno, Andy. Bon, si on réglait tout de suite les modalités du contrat McKinley? Ensuite, j'ai un coup de fil important à donner.

Arrivée au vingt-septième étage, Cathlyn poussa la porte vitrée qui donnait accès à son cabinet.

– Bonjour, Shirley, dit-elle à sa secrétaire en accrochant son pardessus au portemanteau de la salle d'attente.

Une petite femme replète en costume gris, assise au bureau de réception, la salua d'un sourire.

– Dieu merci, vous voilà, docteur! s'exclama-t-elle. Le téléphone a sonné toute la matinée, votre premier patient va arriver d'un instant à l'autre, et vous aurez aujourd'hui trois rendez-vous supplémentaires...

– Ne vous affolez pas, Shirley, dit Cathlyn en prenant sur le bureau une petite pile de messages téléphoniques, nous contrôlons parfaitement la situation. Avec une secrétaire comme vous, je n'ai aucun souci à me faire.

– Peut-être, mais il faut absolument que vous rappeliez tous ces gens. Mme Tompkins a téléphoné pour dire que son mari est retombé en pleine dépression, Mme Bixby voudrait venir vous consulter avec sa fille, et l'Association des psychologues vient d'appeler pour...

– Je vais m'occuper de tout ça, promit Cathlyn en entrant dans son cabinet.

Des montagnes de dossiers s'empilaient sur son bureau de teck. Elle ouvrit en grand les stores, poussa un soupir en contemplant le ciel noyé de pluie et s'assit sur son fauteuil, dos résolument tourné aux fenêtres. Elle était en train de décider qui elle appellerait en premier lorsque la sonnerie aiguë du téléphone déchira le silence ouaté de la petite pièce. Elle ne laissa pas à sa secrétaire le temps de décrocher.

– Ici le Centre de thérapie familiale, annonça-t-elle d'une voix toute professionnelle. Le Dr Tate à l'appareil.

– Le Dr Tate? Cathlyn Tate? s'enquit une voix masculine à l'autre bout du fil. Je suis Marc Harrison.

– Marc Harrison? répéta-t-elle, soudain troublée. Oui, c'est bien moi, Marc. Comment allez-vous?

– J'ai vu votre photo dans le journal de ce matin.

Après tous ces mois, voilà donc pourquoi il l'appelait aujourd'hui!

– Un instant, dit-elle en tendant le bras vers le journal. Je ne l'ai pas encore vue.

– Elle est en page douze.

Le cœur battant, Cathlyn ouvrit son journal.

Dans les journées qui avaient suivi Noël, elle avait fervemment espéré recevoir cet appel, mais les semaines qui passaient inexorablement avaient fini par la convaincre qu'il était vain de l'attendre. Ayant trouvé la page douze, elle fit la grimace. Affreuse, songea-t-elle. Comment avait-il pu la reconnaître d'après une telle horreur?

– Je ne savais pas que vous étiez une psychologue en vue.

– Le journaliste a beaucoup aimé notre étude. Il s'était toujours douté, disait-il, que les chefs d'entreprise avaient eux aussi des problèmes psychiques.

– Ça, j'aurais pu le lui confirmer sans faire appel à une étude scientifique, dit Marc en riant. Mais j'en viens à la raison de mon appel. Voilà, Cathlyn. J'aimerais vous inviter à déjeuner aujourd'hui.

Le temps pour elle de consulter son agenda, et les hésitations de Cathlyn s'envolèrent.

– C'est une bonne idée. Mon bureau est au vingt-septième étage du Hartford Building.

– Je sais. Je passerai vous prendre à onze heures et demie, dit-il avant de raccrocher.

Songeuse, elle tapota un instant la pointe de son crayon sur le bureau.

– Shirley? appela-t-elle.

Sa secrétaire apparut aussitôt sur le seuil.

– Ne prenez aucun rendez-vous pour moi entre onze heures et demie et quatorze heures, je suis prise pour déjeuner.

– Avec qui?

– Quelle curiosité! On dirait ma mère. Puisque vous tenez tant à le savoir, je déjeune avec un certain Marc Harrison, et...

– Harrison? L'homme du camion à ordures?

– Lui-même, répondit Cathlyn avec un sourire rêveur.

– Faites attention, fit Shirley en secouant la tête. J'ai bien l'impression que ce type est un peu cinglé. Quelqu'un qui passe Noël dans un camion à ordures, c'est...

– J'y étais aussi, Shirley. Dois-je en conclure que vous me prenez pour une folle?

Voyant que Shirley restait bouche bée, Cathlyn leva la main.

– Vous n'êtes pas obligée de répondre, après tout.

Tandis que Shirley quittait la pièce en marmonnant des propos inaudibles, Cathlyn ouvrit le dossier de sa première patiente du jour, Alexandra Bixby, soixante-quatorze ans, soupçonnée par sa fille de sénilité précoce. Celle-ci s'inquiétait de voir sa mère chanter avec son canari, parler à des plantes et remplir son réfrigérateur de pain qu'elle faisait elle-même. Sans doute n'aurait-elle pas besoin de nourrir les oiseaux de voisinage ni de parler toute seule si sa fille venait la voir plus souvent, songeait parfois Cathlyn. La solitude, c'était son opinion, faisait bien des ravages.

Trois heures plus tard, la jeune femme était exténuée. Elle était en train de rassembler ses impressions dans le dossier de son dernier patient lorsque Shirley apparut à la porte.

– Docteur?

– C'est vraiment important, Shirley? répondit-elle sans lever les yeux. J'aimerais terminer ceci avant le déjeuner.

– Il s'agit d'une inondation, docteur. Ils ont déjà de l'eau jusqu'aux genoux.

– Quoi? Expliquez-vous, Shirley!

– Votre amie Jeannie, du Foyer des anges, vient de...

– Jeannie? répéta Cathlyn, soudain inquiète.
– Elle dit que la pompe de relevage est tombée en panne. Avec toute cette pluie, le sous-sol du foyer est déjà inondé. Elle voudrait que vous lui apportiez tous les seaux que vous pourrez trouver pour l'aider à écoper. Elle dit que quand les filles seront rentrées de l'école, elles feront la chaîne pour évacuer toute cette eau. Elle dit aussi qu'il faudrait faire vite, avant que l'inondation n'atteigne la chaudière.

Lorsque la secrétaire s'interrompit pour reprendre son souffle, Cathlyn avait déjà enfilé son manteau.

– Rappelez-la pour lui dire que j'arrive, ordonna-t-elle en jetant un coup d'œil sur l'horloge.

Marc arriverait dans quelques minutes. Défilant devant ses yeux, l'image de l'inconnu en anorak la fit hésiter un bref instant, mais elle se reprit aussitôt.

– Vous présenterez mes excuses à Marc Harrison, dit-elle.

– Mais vous aviez envie de le voir, docteur, protesta Shirley. Si vous voulez, je peux me charger d'apporter les seaux au foyer.

– Dites à M. Harrison que j'ai eu un empêchement de dernière minute. Qu'avions-nous comme rendez-vous cet après-midi?

– Rien, fit Shirley d'un ton où perçait le regret. Nous avions prévu de remettre à jour vos fichiers informatiques.

– Reportez ça à un autre jour, dit Cathlyn en saisissant son sac à main et son parapluie. Aujourd'hui, vous pourrez partir plus tôt que prévu.

Elle partit vers l'ascenseur, réfléchissant au

meilleur moyen de venir en aide à son amie Jeannie Monahan. L'idée des seaux et de la chaîne humaine lui semblait raisonnable, mais peut-être insuffisante, d'autant plus qu'il continuait de pleuvoir des cordes. Il s'agissait surtout de réparer cette pompe le plus vite possible. Plongée dans ses pensées, elle ne vit pas s'ouvrir les portes de l'ascenseur. Comme elle s'apprêtait à y pénétrer d'un mouvement automatique, une main lui agrippa fermement le bras.

– Hé! Pas si vite! Où courez-vous comme ça?

– Quoi? lâcha Cathyln, avant de s'apercevoir qu'elle était nez à nez avec Marc Harrison.

– Si j'avais su que vous étiez si pressée de déjeuner, je serais passé vous prendre plus tôt, plaisanta-t-il.

Stupéfaite, Cathlyn la contempla bouche bée. Les yeux rieurs, le dessin vigoureux de sa mâchoire, la fossette régulière qui se creusait au milieu de son menton dès qu'il souriait, étaient plus imposant que dans ses souvenirs. Il était élégamment vêtu, sous son imperméable, d'un costume marron, d'une chemise d'un blanc éclatant et d'une cravate de soie sombre. Dans sa main gauche, il tenait la poignée de son parapluie déjà replié.

– Eh, Cathlyn, reprit-il. Marc Harrison, vous vous rappelez? Nous devons déjeuner ensemble.

– Oh... lâcha enfin la jeune femme. Mais... Vous êtes en avance.

– Pour être précis, je dirais que je suis pile à l'heure.

– J'avais chargé ma secrétaire de vous prévenir que j'ai un empêchement. Je ne peux pas venir, Marc.

– Un empêchement?

– C'est une urgence. Une amie vient de m'appeler. Son sous-sol est inondé, son mari est en voyage et surtout, elle craint que l'eau n'envahisse la chaufferie... Il faut absolument que j'aille l'aider. J'ai donc tiré un trait sur ce déjeuner.

– Puis-je vous demander comment vous comptez résoudre le problème de votre amie? s'enquit-il, une lueur ironique dans le regard. Vous voulez peut-être creuser des canaux d'évacuation tout autour du bâtiment? Prendre la machine à laver sur votre dos et la sortir sur le trottoir?

Cathlyn ne put s'empêcher de rire.

– Pas vraiment... A vrai dire, Jeannie a eu une excellente idée. Je vais acheter des seaux, et quand les filles reviendront de l'école, nous formerons une chaîne pour écoper la cave.

Cette fois, ce fut Marc qui éclata de rire.

– Autant écoper une barque avec une tasse à café! Si vous voulez mon avis, à moins que votre amie n'habite une cage à lapins, ce ne sera pas suffisant. Allez, venez, dit-il en lui prenant le bras pour l'entraîner vers l'ascenseur. Nous allons voir ce qu'on peut faire.

– Vous m'accompagnez? s'écria Cathlyn, enthousiaste. Formidable! C'est moi qui conduis. Ma voiture est au parking souterrain.

– Pas si vite, lui glissa Marc à l'oreille dans l'ascenseur bondé. On déjeune d'abord.

– Nous pouvons acheter deux hamburgers en chemin, proposa Cathlyn au moment où les portes s'ouvraient sur le hall d'entrée.

– Pas question.

– Voyons, Marc, protesta-t-elle, surprise. La cave de mon amie est inondée, l'eau monte à vue d'œil et vous voulez prendre le temps de déjeuner?

– D'accord, dit-il, sentant qu'elle ne céderait pas. Je vous propose un marché : il y a un excellent charcutier traiteur au coin de la rue. Il vend des sandwiches à la viande absolument délicieux.

– Parfait ! Allez-y, je passe vous prendre devant dans trente secondes avec ma voiture, expliqua Cathlyn en rappelant l'ascenseur.

– Vous voulez des cornichons avec votre sandwich ? lui lança-t-il de loin, en se dirigeant vers la sortie.

– Évidemment !

Marc attendait depuis quelques instants sous l'auvent ruisselant de la charcuterie. Tentant de protéger les sandwiches sous son imperméable, lorsqu'il aperçut enfin Cathlyn au volant d'une petite voiture jaune qui zigzaguait en klaxonnant entre les files de véhicules. Le déjeuner était loin de se dérouler comme il l'avait prévu. En ce moment même, ils auraient dû être confortablement installés à la meilleure table d'un des restaurants les plus élégants de la ville, occupés à déguster en bavardant un menu somptueux. Dans ces conditions, au moment des framboises à la crème, Marc aurait certainement été en mesure de décider si leur liaison valait ou non la peine d'être poursuivie. Il avait tout prévu, recommandant même au maître d'hôtel de présenter à la jeune femme un menu où ne figuraient pas les prix, tellement élevés qu'ils auraient pu susciter de sa part bien des soupçons.

Il avait tout prévu, mais son beau plan était tombé à l'eau, c'était le cas de le dire. Il lui faudrait se contenter de grignoter un sandwich à la viande, plié en quatre dans un véhicule jaune parfaitement exigu, à ses yeux plus proche du triporteur que de l'automobile, en attendant de passer l'après-midi à patauger dans une cave inondée. Et il ne savait même pas si Cathlyn valait tous ses sacrifices!

Après vingt minutes dans la voiture de Cathlyn, Marc était aussi courbatu que lors de l'expédition en camion à ordures.

– C'est encore loin? s'enquit-il, cherchant du coin de l'œil une quelconque pâtisserie où il pourrait acheter un dessert.

– Nous y sommes presque, répondit Cathlyn en époussetant les quelques miettes de pain tombées sur sa robe verte.

Ils empruntèrent une étroite ruelle bordée de grandes et vieilles maisons, dont plusieurs étaient au seuil de la décrépitude. Un peu partout, les broussailles envahissaient nombre de jardins laissés à l'abandon.

– Intéressant, ce quartier, observa Marc. Votre amie travaillerait-elle dans l'investissement immobilier?

– Vous êtes loin du compte. Le seul investissement qui l'intéresse, c'est celui du cœur, dit-elle en klaxonnant un gros chien qui traversait nonchalamment la chaussée. Au fait, vous m'aviez dit être dans le bâtiment. Avez-vous déjà participé à la restauration de vieilles maisons comme celles-ci?

– Quelquefois.

– Que faites-vous d'autre? Pour moi, quelqu'un qui travaille dans le bâtiment, c'est un type avec un casque sur le crâne et un marteau dans la main. Pourtant, il me semble que vous ne correspondez guère à cette image.

– Vous voulez dire que j'ai une tête à ne pas savoir par quel bout on tient un marteau?

– Je vois, dit Cathlyn. Vous n'aimez pas parler de votre travail...

– Tiens tiens... Le Dr Tate serait-il en train de faire des heures supplémentaires?

– Une ombre passa dans les yeux de Cathlyn, qui ne répondit rien. Cette critique, tous les psychologues du monde l'avaient maintes et maintes fois entendue sur les lèvres dc leurs parents et de leurs amis, mais la jeune femme avait toujours du mal à admettre que ses efforts bien naturels pour comprendre les autres soient régulièrement confondus avec un simple réflexe professionnel.

– Hé..., fit Marc en lui posant la main sur le bras. Je plaisantais, Cathlyn, je n'avais pas l'intention de vous offenser.

– Vous ne m'avez pas offensée, dit-elle sèchement.

– Vous ne mentez pas très bien. Manque de pratique, sans doute.

Cathlyn freina puis, manœuvrant le volant avec une extrême habileté, parvint à garer sa voiture dans un trou de souris.

– Pas mal, opina Marc. Je n'aurais pas fait mieux.

De nouveau, il lui effleura le bras. Réprimant un frisson d'émoi, Cathlyn se tourna vers lui, envoûtée par le reflet d'émeraude qui dansait dans ses yeux noisette.

– Je ne vous connais pas encore très bien, poursuivit-il gravement. Et surtout, si j'ai une petite idée sur Cathlyn, j'ignore tout du Dr Tate. Je dois l'avouer, j'ai toujours eu quelques préjugés contre les psychologues.

– Comme tout le monde ou presque, soupira-t-elle. Les gens craignent toujours que nous ne mettions à nu certains traits de leur personnalité qu'ils ne veulent pas montrer.

– Intéressante analyse, dit Marc en la regardant attentivement. Je me demande si vous avez raison.

– C'est évident, répondit-elle avec assurance. Néanmoins, je vais vous demander une faveur : si je vous dis que je n'ai pas de pouvoirs magiques, vous devez me croire. D'autre part, s'il vous prend l'envie de connaître le Dr Tate, téléphonez à mon cabinet et je vous recevrai sur rendez-vous. Sinon, je préfère rester Cathlyn, tout simplement

Il lui prit les deux mains. Autour d'eux, le silence était seulement rompu par le lancinant clapotis de la pluie sur la tôle de la voiture. Cathlyn eut envie de se jeter dans les bras de son compagnon.

– C'est d'accord, dit-il à mi-voix. Pour moi, vous êtes Cathlyn Tate, la beauté en manteau rouge. Quant à moi, je me contenterai d'être Marc Harrison, l'homme avec qui vous avez partagé votre taxi à Noël. Marché conclu?

– Marché conclu, souffla Cathlyn, bouleversée par ces quelques mots qui semblaient chargés d'une extraordinaire importance.

Il se pencha légèrement vers elle, comme pour l'embrasser, puis parut se reprendre.

– Eh bien, lança-t-il d'une voix légère, que diriez-vous d'aller jeter un coup d'œil à cette cave inondée?

3

ENTROUVRANT sa portière, Marc considéra à travers le rideau de pluie une énorme bicoque à la façade craquelée, tout autour de laquelle courait une véranda visiblement bancale.

– C'est ici qu'habite votre amie? demanda-t-il, incrédule.

– Oui. Évidemment, c'est plus joli quand il fait beau.

– Il me semble qu'elle aurait besoin de quelques travaux. Qu'est-ce que c'est que ce gros machin qui surplombe la porte d'entrée? Une sculpture Arts-déco?

– Pas du tout, répondit Cathlyn en ouvrant sa portière après avoir saisi son parapluie. Cette magnifique statue représente un ange. Vous avez devant vous l'emblème du Foyer des anges

Le Foyer des anges! Cathlyn ne lui avait pas mentionné une seule fois leur destination. Ses yeux se reportèrent sur l'imposante bâtisse. Telle était donc l'institution charitable qu'il finançait pour partie. Que se passerait-il si quelqu'un du foyer reconnaissait son nom? Il ne se sentait pas encore prêt à dévoiler à la jeune femme sa véritable position sociale.

– Vous venez? fit Cathlyn en s'extirpant de la voiture. Au cas où vous ne l'auriez pas remarqué, je vous signale qu'il pleut.

Marc prit son parapluie et sortit à son tour sous la pluie battante, tandis que Cathlyn contournait la voiture sur la pointe des pieds pour éviter de s'engluer dans la boue.

– Courons! s'écria-t-il en l'entraînant par la main.

Bondissant entre les flaques, ils atteignirent la porte d'entrée et s'essuyèrent vigoureusement les pieds sur le paillasson. La maison n'était pas fermée. Cathlyn poussa le lourd battant et pénétra dans un vestibule sombre et caverneux.

– Jeannie? lança-t-elle à l'aveuglette. Ohé, Jeannie? C'est moi, Cathlyn! Où es-tu?

L'écho lui renvoya ses paroles. Brusquement, surgie de nulle part, une petite jeune femme à lunettes, les cheveux noirs et bouclés, apparut devant eux.

– Cathlyn! Dieu merci tu es venue! J'ai appelé tous mes amis, mais personne n'a pu se libérer! Tom, lui, participe à une conférence dans le Colorado.

Cathlyn ôta son pardessus dégoulinant et l'accrocha au long portemanteau de l'entrée, qui croulait déjà sous les vestes et les écharpes.

– Nous ne nous connaissons pas, remarqua soudain Jeannie en considérant Marc.

– Désolée, s'excusa Cathlyn. Je te présente Marc...

– Ravi de faire votre connaissance, coupa celui-ci en tendant vivement la main à Jeannie. J'ai cru comprendre que vous aviez un petit problème d'humidité...

– Un petit problème? C'est un euphémisme, dit

Jeannie en se tournant vers Cathlyn. Tu as apporté les seaux?

– Non. Marc m'a expliqué que ça ne suffirait pas.

– Vous avez une meilleure idée? s'enquit Jeannie en se tournant vers celui-ci.

Mal à l'aise, Marc songea pour se rassurer qu'au moins, Jeannie ne l'avait pas reconnu. Dans le cas contraire, elle ne se serait certainement pas montrée aussi sèche avec le bienfaiteur de son orphelinat.

– Écoutez, dit-il enfin, pourquoi n'appelleriez-vous pas une entreprise de plomberie? J'en connais une ou deux. Ces types-là vous installeraient une pompe flambant neuve en un rien de temps. Ensuite, si vous voulez des travaux plus conséquents, vous pourriez commander un devis de...

– Vous plaisantez, interrompit Jeannie, les yeux écarquillés. Apparement, Cathlyn ne vous a pas parlé du Foyer des anges. Pour fonctionner, cette maison a besoin de deux choses, de l'amour et de l'argent. Pour l'amour, aucun problème. Mais nous sommes toujours à court d'argent. Vraiment, tu aurais dû apporter des seaux, ajouta-t-elle à l'adresse de Cathlyn en secouant la tête.

Marc faillit mettre la main dans la poche intérieure de sa veste pour y prendre son carnet de chèques, mais se reprit en croisant le regard bleu de Cathlyn, fixé sur lui avec insistance.

– Dans ce cas, soupira-t-il en ôta sa veste, il ne nous reste plus qu'à nous atteler à la tâche. Si ce n'est pas trop grave, je crois être capable de bricoler moi-même une pompe de relevage. En tout cas, je vais essayer.

– Vous croyez que vous pourrez? interrogea Jeannie, méfiante.

– Il travaille dans le bâtiment, intervint Cathlyn.

– Vraiment? Quelle chance! Bon, il va falloir des vieux vêtements et des bottes. Tom a des cuissardes de pêcheur, reprit Jeannie, radoucie, en entraînant Marc derrière l'escalier.

Marc reparut peu après avec une pile de vêtements sous le bras et une paire d'interminables bottes de caoutchouc jaunes.

– Il ne vous manque plus qu'une canne à pêche, remarqua Cathlyn, et vous irez nous chercher quelques truites pour dîner.

– Pêcher n'a rien de déshonorant, répondit Marc, souriant, en déboutonnant sa chemise. Peut-être aurai-je un jour l'occasion de vous le prouver. Mais pour l'heure, si vous souhaitez vous rendre utile, je crois qu'il vaudrait mieux que vous appeliez les pompiers pour leur demander un coup de main.

Troublée à la vue de ses larges pectoraux couverts d'une toison dorée, Cathlyn esquissa involontairement un pas en arrière.

– Vous croyez qu'ils viendront?

– Ça dépend entièrement de vous. A priori, non. Mais si vous leur parlez des pauvres orphelines qui se retrouveront à la rue dès ce soir, chassées par l'inondation, peut-être réussirez-vous à les convaincre.

– Laissez-moi faire, chef! lui lança-t-elle tandis qu'il montait à l'étage pour finir de se changer.

Restée seule, elle ne put s'empêcher de sourire. Comme elle, confronté à un quelconque problème, il aimait prendre une décision rapide. Soudain, elle repensa à la manière presque grossière dont il l'avait interrompue lorsqu'elle avait voulu le présenter. Était-ce uniquement parce que l'urgence de la situation exigeait une action immédiate?

De retour dans le vestibule, Jeannie considéra Cathlyn de la tête aux pieds.

– Toi non plus, tu n'es pas vêtue pour la circonstance, dit-elle en empruntant l'escalier. Avec dix-huit filles dans la maison, je devrais bien pouvoir te dénicher quelque chose de plus approprié.

Un peu plus tard, vêtue d'un jean délavé, d'une paire de tennis et d'un tee-shirt rouge beaucoup trop juste pour elle, elle descendit à la cave et s'arrêta sur l'avant-dernière marche. Devant elle, tout était inondé. Dans la pénombre, elle aperçut la silhouette de Marc qui, à quelque distance, pataugeait dans l'eau boueuse.

– Les pompiers arrivent! annonça-t-elle d'une voix triomphale.

– Vous plaisantez? répondit Marc, surpris. Vous avez réussi à les faire venir?

– Oui. Ça vous étonne? C'était pourtant votre idée.

Marc se rapprocha à pas lents en soulevant de noires vaguelettes.

– Que leur avez-vous raconté?

– Oh... Eh bien, disons que je leur ai expliqué la situation.

– Je vois... Rien ne touche plus le cœur d'un homme que l'appel d'une demoiselle en détresse. Et toutes les demoiselles le savent parfaitement.

– Taisez-vous, ou je vous pousse à l'eau! prévint-elle rieuse, en esquissant un geste menaçant.

Aussitôt, Marc monta à tâtons sur la première marche et étreignit la jeune femme, manquant les précipiter tous deux dans l'eau sombre. Lorsqu'ils eurent repris leur équilibre, ils restèrent un long instant enlacés sans faire le moindre mouvement. Joue plaquée contre le torse de Marc, Cathlyn se détendit peu à peu, la nuque caressée par le souffle chaud de son compagnon. Sans relâcher son étreinte, il releva enfin la tête. Cathlyn ne chercha pas à s'écarter.

– Nous avons bien failli piquer une tête, souffla-t-il.

– Oui... Mais nous avons tenu bon.

Après avoir ôté ses gants de protection, Marc promena ses doigts au gré des longues boucles brunes de la jeune femme, qui se blottit encore une fois contre son épaule.

– Vous êtes imprévisible, murmura-t-il.

S'étant enfin écarté, il la considéra en silence.

– Quelle tenue, mademoiselle! observa-t-il, l'œil espiègle, en la déshabillant du regard.

– Dans votre genre, vous n'êtes pas mal non plus, répliqua-t-elle en considérant d'un air narquois sa chemise à carreaux aux manches retroussées.

Presque inconsciemment, il se passa la main dans les cheveux.

– Je ne dois pas être très présentable, dit-il. Cette pompe m'a donné un mal fou. Pour l'instant, la chaudière est intacte, les congélateurs aussi. Mais il faut absolument écoper cette eau au plus tôt. Quand pensez-vous que les pompiers arrivent?

A cet instant précis, un pompier en tenue apparut un peu plus haut dans l'escalier et lança un ordre bref. Aussitôt, d'épais tuyaux apparurent aux soupirails de la cave et descendirent en serpentant vers le sol inondé. A l'extérieur, une pompe fut déclenchée et, sous l'œil émerveillé de

Cathlyn, le niveau d'eau commença presque immédiatement à baisser.

– Hé! lança au loin une voix féminine. Que fait ce camion de pompier devant la maison?

Un piétinement sourd se fit entendre peu après dans le vestibule.

– Le bus scolaire vient d'arriver, glissa Cathlyn à l'oreille de Marc.

– Qu'est-ce qui brûle? demanda une autre voix. Ma radio est-elle en lieu sûr?

Cathlyn remonta l'escalier et aperçut Jeannie qui s'efforçait tour à tour de rassurer et d'exhorter l'essaim de jeunes filles qui voletait autour d'elle.

– Carmelita! lança-t-elle. Cette semaine, tu es responsable du vestibule! Passe donc un coup de serpillière avant que quelqu'un ne glisse dans une traînée de boue!

– J'espère que la maison ne brûle pas, répondit la frêle Mexicaine avec un éclatant sourire. Sinon, ça ne sert plus à rien d'y faire le ménage.

– Tu as raison, intervint Cathlyn. Mais la maison ne brûle pas, elle est inondée. Les pompiers sont en train d'assécher la cave.

En apercevant Cathlyn, plusieurs pensionnaires poussèrent des cris joyeux.

– Hé, Cathlyn! lança une petite fille blonde. Tu as apporté ta guitare? Si on chantait cette chanson sur Noé et son arche?

– Plus tard, Sandra, répondit celle-ci en riant.

– Laisse tomber, Sandra, renchérit une autre. Tu ne vois pas qu'elle est occupée avec son petit ami?

Jetant un coup d'œil par-dessus son épaule, Cathlyn aperçut Marc, le cheveu en bataille, qui se tenait juste derrière elle. Il avait ôté ses cuissardes et était maintenant pieds nus, jambes moulées dans un jean de Tom trop serré pour lui. Devinant sa gêne, toute les filles se mirent à pouffer de concert.

– La récréation est finie, intervint Jeannie pardessus le brouhaha. Toutes celles qui ne sont pas de corvée aujourd'hui, direction la cave! Il n'y a presque plus d'eau, grâce aux pompiers et à monsieur, euh... à Marc, qui a réussi à bricoler provisoirement notre vieille pompe. Mais il me faut un bataillon de volontaires pour évacuer toute cette boue... Soldats! En avant, marche! s'écria-t-elle en tournant les talons à la manière d'un adjudant.

Tandis que la plupart des filles la suivaient à la cave, les autres s'égaillèrent vers la cuisine et les chambres. Marc s'avança vers Cathlyn et lui posa la main sur l'épaule.

– Jeannie est parfaite, observa-t-il d'un ton admiratif. Elle parvient à concilier autorité et complicité. A l'évidence, les filles la respectent énormément.

– Elles savent que Jeannie les adore.

A cet instant, une adolescente fort enveloppée passa entre eux pour aller retrouver les autres à la cave.

– Ce soir, on ne risque pas de dîner tôt, bougonna-t-elle assez haut pour être entendue.

– Peut-être même ne dînerons-nous pas du tout, Mandy, fit Cathlyn d'une voix lugubre.

– Tu crois? dit Mandy en posant sur Cathlyn un regard effaré.

– Ne t'inquiète pas, intervint Marc. Certaines personnes sont peut-être capables d'aller se coucher l'estomac creux, mais pas moi. Nous trouverons quelque chose à manger.

Visiblement rassurée, Mandy repartit vers la cave.

– Au fait, reprit Marc en se tournant vers Cathlyn, comment se passent les repas ici?

– Je crois que vous vous êtes un peu avancé. D'habitude, Jeannie placarde les menus et les corvées de la semaine à l'office. Si vous voulez, allons voir ce qu'elle avait prévu pour ce soir, proposa Cathlyn en l'entraînant vers la cuisine au milieu de laquelle trônait une gigantesque table de bois massif.

Dans un coin de la pièce, elle ouvrit une petite porte et pénétra dans un minuscule réduit où s'entassaient pêle-mêle des dizaines de plats, pots, verres, assiettes, casseroles, couverts et ustensiles divers, et qui ne devait qu'à un lointain réverbère, dont la lueur filtrait par une étroite fenêtre, de ne pas être plongé dans le noir complet. A tâtons, Cathlyn partit à la recherche de l'interrupteur électrique le long d'une étagère croulant sous les assiettes.

– Je n'arrive pas à le trouver, marmonna-t-elle. Il est quelque part ici, je le sais. Vous ne le voyez pas?

Marc s'avança à son tour dans les ténèbres et se heurta soudain de front à la jeune femme.

– Tout va bien? demanda-t-il en lui prenant les épaules.

D'instinct, ses mains glissèrent sur le tee-shirt qui moulait le buste de la jeune femme comme une seconde peau. Pour ne pas perdre l'équilibre, celle-ci se raccrocha aux bras musculeux de Marc.

– Excusez-moi, lui murmura-t-il.

– Ça va, souffla-t-elle d'une voix rauque.

Grisée par l'odeur virile, vaguement musquée, de Marc, par la brise régulière de son souffle et par la douce chaleur de son corps souple, elle se laissa docilement enlacer et renversa la tête en arrière pour accueillir en un premier baiser ses lèvres pleines, assoiffées de désir. Resserrant son étreinte, Marc l'embrassa avec fougue. Ivre de béatitude, Cathlyn sentit monter en elle un plaisir intense. Enfin, leurs bouches se quittèrent comme à regret. Elle blottit son visage contre l'épaule de Marc.

– Cathlyn...

– Oui?

– Nous étions venus consulter le menu, murmura-t-il sans la relâcher.

– Je n'ai pas trouvé l'interrupteur.

Lentement, il desserra son étreinte à contrecœur. Un instant plus tard, une vive lumière inonda le réduit, jaillie d'une ampoule nue qui pendait au plafond.

– Avec vous, je me retrouve souvent dans de drôles d'endroits, remarqua-t-il, souriant, en étudiant la pièce.

– C'est vrai, admit-elle, rougissante. Sans moi, vous n'auriez connu ni camion à ordures, ni cave inondée, sans parler du bistrot de Josie. Quand je pense que je vous connais à peine!

Il lui prit le bras avec une vigueur qui la surprit.

– C'est vraiment ce que vous pensez? Que nous nous connaissons à peine? interrogea-t-il d'une voix pressante.

– Non, répondit-elle gravement. Je ne sais rien de vous, mais il me semble pourtant que...

Elle marqua une pause, incapable de définir ce qu'elle ressentait profondément.

– Que nous nous sommes toujours connus, termina Marc. N'est-ce pas ce que vous vouliez dire?

– Peut-être. Je ne sais pas. C'est votre impression?

– Oui, Cathlyn... Au fait, où ce menu est-il donc affiché? demanda-t-il en souriant.

– Ici, derrière la porte, répondit la jeune femme en faisant pivoter le battant. Voyons... Apparemment, elle a prévu pour ce soir un ragoût de bœuf aux pommes de terre.

– La cuisson prend des heures, remarqua Marc en consultant sa montre.

– C'est vrai. D'autant plus que toutes les filles sont à la cave. J'ai bien l'impression que nous devrons nous charger de la popote.

– Quoi? Faire à manger pour vingt personnes?

– C'est exactement la même chose que pour deux, remarqua Cathlyn, à ceci près qu'il faut en faire dix fois plus. Peut-être pourriez-vous m'apporter ce sac de patates, pendant que je vais voir ce qui reste de viande.

Pendant que Cathlyn ouvrait le réfrigérateur, Jeannie fit irruption dans la cuisine.

– Ah! je te trouve enfin, expliqua-t-elle. Les pompiers s'en vont, et celui que tu as eu au téléphone aimerait te dire un mot.

– Maintenant?

– Il aimerait beaucoup connaître la femme héroïque qui, au péril de sa vie, a sauvé la fillette en pleurs qui s'était réfugiée au sommet de la chaudière pour éviter d'être emportée par les flots, expliqua Jeannie avec un sourire en coin.

– Oh la la..., souffla Cathlyn, qui ne tenait guère à être confrontée à son interlocuteur anonyme.

– Qui aimerait-il connaître? demanda Marc, sortant du réduit avec un sac de dix kilos de patates.

– Rien d'important, fit Cathlyn. Un pompier voudrait me parler. Je remonte tout de suite.

– Heureusement que quelqu'un s'occupe du dîner, lança Jeannie en lui emboîtant le pas. Vous trouverez le couteau à viande dans le deuxième tiroir à gauche.

Marc, qui portait toujours son filet de pommes de terre, jeta un regard désemparé au monceau de viande étalé sur la table. Un ragoût pour vingt personnes! Il n'avait pas la moindre idée de la marche à suivre. Effaré par l'immensité de sa tâche, il posa les patates par terre et s'assit sur un tabouret dépenaillé. Son estomac se mit à gronder. Soudain, il se leva d'un bond et courut vers le téléphone.

Une demi-heure plus tard, on sonna à la porte.

– Allez ouvrir! cria Jeannie depuis la cave.

Aussitôt, plusieurs pensionnaires firent irruption dans le vestibule et se précipitèrent jusqu'à l'entrée.

– *Pizzeria Roma*, annonça une voix mâle. Voici votre commande.

– Mais nous n'avons rien commandé! protesta une fille.

– Nous avons vérifié par téléphone, déclara le livreur en pénétrant dans le hall. Il n'y a aucun doute.

Après avoir déposé une pile de cartons blancs sur la petite table de l'entrée, il extirpa la facture de sa poche. Attirées par le bruit et l'odeur des pizzas, les filles arrivaient peu à peu.

– Huit pizzas géantes – quatre au fromage, quatre au jambon – ainsi qu'une caisse de limonade, récapitula le livreur. Ça vous fera quatre-vingt-huit dollars tout rond. La maison n'accepte pas les chèques.

Quelqu'un poussa un cri effaré.

– C'est moi qui ai passé cette commande, lança Marc en surgissant de la cuisine.

Il prit son portefeuille dans sa veste, en sortit deux billets de cinquante dollars et les tendit au livreur.

– Gardez la monnaie.

– Merci, m'sieur, fit celui-ci, éberlué. La limonade est sur le palier. Je vous l'apporte tout de suite.

– Personne n'a faim? s'enquit Marc en se tournant vers les adolescentes pétrifiées et muettes.

Quelques-unes hochèrent timidement la tête.

– Eh bien? Qu'attendez-vous pour emporter ces pizzas à la cuisine et lancer le signal du dîner?

Dans la pénombre de la cage d'escalier, Cathlyn avait silencieusement assisté à la fin de la scène. Quelque chose, dans la personnalité de ce Marc Harrison, lui échappait complètement. Il venait de dépenser cent dollars, dont un pourboire si généreux que le livreur lui-même en avait été surpris. Pourtant, loin de s'en enorgueillir, il semblait plutôt gêné.

Il travaillait dans le bâtiment, disait-il. La manière dont il avait réparé la pompe de relevage tendait à le confirmer. Mais de lui, elle ne savait strictement rien d'autre. Restée seule dans le vestibule, elle s'approcha du veston de Marc, toujours suspendu au portemanteau, en caressa du doigt la fine étoffe et retourna le col pour en voir la marque, mais ne trouva pas trace d'étiquette. De toute évidence, il s'agissait d'un costume sur mesure, d'une extraordinaire qualité. Qui était-il? Le propriétaire d'une entreprise immobilière? Il n'en avait pas les manières. Un artisan? Certainement pas. Alors? Poussant un soupir, elle raccrocha le veston.

– A table, Cathlyn! cria une fillette depuis la cuisine. On n'attend plus que toi!

Aussitôt, elle rejoignit la bruyante tablée réunie autour des pizzas fumantes. Tout le monde parlait en même temps. Jamais les filles n'avaient vu autant de pizzas, ni autant de limonade au Foyer des anges. L'événement avait des airs de fête. Une pensionnaire en vint même à souhaiter que l'eau envahisse régulièrement la cave. Pendant le repas, Cathlyn observa en silence Marc qui répondait patiemment aux milliers de questions que lui posaient les filles.

– Allons chercher les dernières bouteilles de limonade, lui glissa bientôt Jeannie.

– Pourquoi ne pas envoyer une des filles?

– Viens, insista Jeannie.

Lorsqu'elles furent seules dans le hall, elle se tourna vers Cathlyn.

– Que sais-tu au juste de ce Marc... Marc comment?

– Harrison. Pas grand-chose, à vrai dire. C'est l'homme que j'ai rencontré à Noël.

– Celui du taxi? Tu ne m'as pas dit qu'il travaillait dans le bâtiment?

– C'est ce qu'il m'a dit.

– As-tu remarqué la finesse de ses mains? Et la manière dont il s'exprime? Ce type a de la classe.

– Écoute, je me suis déjà posé toutes ces questions. Et je sais parfaitement qu'il n'a rien d'un homme de Néanderthal.

– Ça, non! fit Jeannie en partant d'un petit rire. D'ailleurs, son nom me dit quelque chose. Je suis sûre de l'avoir déjà entendu, mais je n'arrive pas à me rappeler où.

– Harrison est un nom très courant, répondit Cathlyn en regagnant la cuisine sur les pas de son amie.

Marc lui adressa un sourire qu'elle lui rendit en s'asseyant.

– En tout cas, murmura Jeannie lorsque celui-ci se fut retourné vers ses pensionnaires, ne va pas trop vite en besogne avec lui. Tu as tout le temps.

– Ne t'inquiète pas pour moi, rétorqua Cathlyn en riant. J'ai dans mon héritage génétique une solide dose de bon sens paysan.

– Vraiment? s'enquit Marc en se levant pour la rejoindre. Comment se fait-il que je ne m'en sois jamais aperçu?

– C'est que vous n'y avez pas fait attention. Quelle serait, par exemple, la chose la plus logique que nous puissions faire maintenant?

– Eh bien, je...

– La réponse est pourtant limpide, coupa-t-elle. La cave est sèche, le dîner est terminé, il n'y a pas de vaisselle à laver... Ce qu'il nous faut donc, c'est un grand feu de bois, une guitare et des chansons.

– Vraiment?

– Vraiment. Occupez-vous du feu, je vais chercher ma guitare dans la voiture. Hé, les filles! A toutes celles qui veulent pousser la chansonnette, rendez-vous au salon dans dix minutes! lança-t-elle avant de se retourner vers Marc. Ça vous laisse tout le temps de faire votre feu, n'est-ce pas?

Il lui décocha un regard où l'on eût pu chercher longtemps la moindre trace d'enthousiasme. Pourtant, lorsqu'elle pénétra dans le salon quelques minutes plus tard, le feu crépitait joyeusement dans la grande cheminée. Les filles étaient assises soit par terre, soit sur le vieux canapé de velours vert à demi défoncé. Cathlyn s'installa en tailleur avec sa guitare devant les flammes grondantes et exécuta les premiers accords d'une chanson folklorique, aussitôt reprise par un harmonieux chœur de voix féminines. Peu à peu, les pensionnaires se resserrèrent autour de la jeune femme et commencèrent à se balancer au rythme de la musique. Marc, assis par terre en retrait, se contentait de regarder et d'écouter, fasciné par la lumière qui dansait sur les traits merveilleusement sereins de Cathlyn et le sourire de bonheur qui illuminait ses lèvres en mouvement. Bientôt, il constata avec étonnement qu'il était lui aussi envahi par un étrange plaisir.

Cathlyn était radicalement différente de toutes les femmes qu'il avait connues jusqu'alors. Depuis toujours, il s'efforçait de fuir les femmes « convenables » auxquelles sa mère s'acharnait à le présenter. Aussi avait-il préféré se rabattre sur une longue liste de blondes sulfureuses qui ne cherchaient guère qu'à faire la fête et goûter aux plaisirs de l'existence. Quand l'une d'entre elles paraissait s'intéresser de trop près à lui ou à son argent, il la quittait et passait à la suivante. Cathlyn, elle, n'appartenait ni à l'une ni à l'autre de ces catégories de femmes. Elle n'en avait pas à son argent, pour la bonne raison qu'elle ignorait tout de sa richesse. D'autre part, elle ne correspondait en rien à l'idée qu'il se faisait d'une psychologue éminente. Elle était spontanée, imprévisible. Il ne pouvait s'empêcher d'admirer sa tendre affection pour les orphelines du Foyer des anges.

Il était évident, d'après les questions qu'elle lui avait posées, qu'elle s'intéressait à lui. S'il lui cachait la vérité, songea-t-il, aux prises avec un léger sentiment de culpabilité, c'était tout à fait provisoire. Pour la première fois, il désirait une liaison où ni l'argent, ni le pouvoir des Harrison ne viendraient se mêler.

Après une série de chansons, Cathlyn reposa sa guitare.

– Ce sera tout pour ce soir, annonça-t-elle d'une voix douce. Désolée, les filles, mais vous allez à l'école demain.

Peu à peu, les pensionnaires prirent en murmurant la direction de l'escalier. Jeannie les suivit à l'étage, visiblement impatiente de les voir couchées au plus tôt. Lorsqu'il n'y eut plus personne, Marc rejoignit Cathlyn devant le feu.

– Je suis très impressionné par la tendresse de vos rapports avec ces filles, dit-il en étirant ses longues jambes à côté d'elle. Leur vie n'a pas dû être rose tous les jours, et l'avenir qui les attend ne vaut peut-être guère mieux.

– Pas forcément, répondit Cathlyn avec un étrange sourire. Certaines pourraient bien finir par décrocher un doctorat...

– N'êtes-vous pas un peu optimiste? fit Marc, sceptique.

La jeune femme s'attendait exactement à cette remarque, mais ne put néanmoins se résoudre à lui répondre sèchement. Elle se sentait si bien, si détendue près de lui! Ce qu'il lui avait dit à l'office lui revint en mémoire. Tout se passait comme s'ils se connaissaient depuis toujours. Pour une mystérieuse raison, elle ressentait le besoin de se confier à lui.

– Peut-être, dit-elle à mi-voix. En tout cas, c'est possible. J'ai bien un doctorat... Et pourtant, j'étais comme toutes ces filles.

– Vous?

Il n'était pas sûr d'avoir compris. Cathlyn adolescente, à la rue, sans famille, luttant pour survivre... C'était impossible! D'où aurait-elle tiré cette assurance, cette élégance si naturelle qui la caractérisaient aujourd'hui, même vêtue d'un vieux jean troué?

– C'est insensé, reprit-il, stupéfait. Vous voulez dire que vous avez été élevée dans un foyer comme celui-ci?

– C'est une longue histoire, soupira Cathlyn, commençant à se demander si elle avait bien fait d'aborder ce sujet. A l'âge de seize ans, je me suis enfuie du pensionnat où mes parents m'avaient placée et j'ai échoué à San Francisco. Heureusement, avant que je ne sombre complètement, un prêtre m'a ramassée dans la rue et m'a emmenée dans un foyer comme celui-ci. J'ai eu de la chance.

Hésitante, elle marqua une légère pause. Marc lui posa une main sur l'épaule pour l'encourager à poursuivre.

– Et vous y êtes restée?

– Quelques mois. Le temps de faire le point.

– Pourquoi vous étiez-vous enfuie?

– A l'époque, je vous aurais répondu que c'était parce que personne ne cherchait à me comprendre, reprit-elle d'une voix tremblante. Ce n'est que bien des années plus tard que j'ai compris la véritable raison de mon geste.

Avec une extrême délicatesse, Marc se rapprocha pour lui permettre de se reposer contre lui. Touchée, elle se força à continuer.

– Vue de l'extérieur, ma famille était merveilleuse..., murmura-t-elle en baissant les yeux. Mais ce n'était qu'une façade. Mes parents étaient si obnubilés par leur richesse et leur position sociale qu'ils ne se souciaient de rien d'autre. Mon père entretenait une maîtresse, ma mère faisait semblant de ne rien voir. Quant à ma sœur, elle ne pensait qu'à réussir ses débuts dans le monde. Tout allait bien, du moment qu'on avait de l'argent et qu'on maintenait une bonne image pour la galerie. Bref, un jour, je ne l'ai plus supporté. Cette vie me paraissait tellement vide...

– Êtes-vous rentrée dans votre famille? demanda Marc en lui prenant la main.

– Pendant un temps. J'ai finalement compris que la fuite n'était pas une solution. Ma situation s'est améliorée quand j'ai découvert qu'indépendamment du milieu, il s'agissait pour moi d'établir mes propres valeurs. Dès que je l'ai pu, je me suis choisi une voie et j'ai concentré tous mes efforts pour la suivre. Ça peut paraître naïf, mais je crois que c'est une question d'honnêteté envers soi-même.

– C'est pour ça que vous êtes devenue psychologue?

– Peut-être. J'ai toujours cru que les êtres sont plus importants que les choses.

Marc la contempla d'un œil pensif, songeant qu'il avait fort bien fait de ne pas lui dire qui il était vraiment. A n'en pas douter, elle aurait aussitôt vu dans son train de vie le symbole de tout ce qui l'avait fait tant souffrir autrefois.

– Je commence à comprendre pourquoi le Foyer des anges compte tant pour vous.

Cathlyn esquissa un semblant de sourire.

– Dans une certaine mesure, j'ai une dette envers ceux qui m'ont aidée. Le foyer est très important, Marc. Grâce à lui, peut-être toutes ces filles trouveront-elles leur voie.

– Je n'avais jamais vu les choses sous cet angle, dit-il, les yeux fixés sur les flammes, sans lâcher la main de la jeune femme.

Jusqu'alors, le Foyer des anges n'avait jamais été pour lui qu'une institution parmi d'autres, auxquelles il versait des dons réguliers selon un critère fort simple qu'il laissait à son expert-comptable le soin de calculer : le montant des déductions fiscales qu'ils entraînaient. Sans doute était-il temps pour lui de voir par lui-même à quoi servait son argent, et peut-être même de consacrer à ces institutions un peu plus que de l'argent.

– Je me demande pourquoi je vous dis tout ça, fit Cathlyn en jetant sur Marc un regard intense. Je ne parle jamais de mon passé.

– C'est peut-être à cause de cet endroit, de ce feu... Et aussi parce que je souhaite tout savoir de vous, Cathlyn. Ce que vous pensez, ce que vous ressentez.

– Mais pourquoi ?

– Je ne sais pas, dit-il en l'invitant à se lever. Voilà bien une des plus étranges journées que j'aie jamais passées, ajouta-t-il en lui prenant le visage entre ses mains. Merci, Cathlyn.

4

LA sonnerie de l'entrée refusait obstinément de se taire. Il y avait déjà un temps infini que son cri strident résonnait dans l'obscurité de la chambre quand Cathlyn se décida enfin à émerger de sa couette pour lire l'heure sur son réveil. Il était beaucoup trop tôt pour que ce fût Marc. Bien sûr, elle l'avait beaucoup vu ces dernières semaines. Depuis leur journée au foyer, il s'était montré fort assidu, allant même jusqu'à venir sonner chez elle pour lui proposer une glacc ou une promenade au parc. Mais cette fois, ce ne pouvait être lui. Il avait bien précisé qu'il viendrait après le déjeuner. Il était huit heures du matin ce samedi-là, et Marc l'avait raccompagnée à l'aube. Cathlyn sombra dans un demi-sommeil, aussitôt interrompu par un nouveau coup de sonnette. Cette fois, elle se redressa d'un bond.

– Ça va, je viens... maugréa-t-elle en glissant à bas du lit tout en enfilant sa robe de chambre. Une minute!

Pieds nus, elle partit vers la porte d'un pas traînant.

– Qui est là? lâcha-t-elle en étouffant un bâillement.

– C'est moi, Jeannie! fit une voix impatiente. Ouvre donc, Cathly. Laisse-moi entrer!

– Qu'est-ce que tu viens faire ici à une heure pareille? protesta Cathlyn en ouvrant la porte. C'est aujourd'hui samedi, Jeannie!

– J'ai un scoop pour toi, ma petite! annonça son amie en ôtant son blouson, qu'elle jeta sur un coffre de bois verni. Tu peux mettre le café en route, j'ai apporté des croissants pour le petit déjeuner.

– J'espère pour toi que c'est important, marmonna Cathlyn en suivant son amie à la cuisine, petite pièce aux volumes harmonieux.

– Je te garantis qu'après, tu n'auras plus envie de dormir, déclara Jeannie en s'asseyant théâtralement à la petite table de bambou. J'y ai mis le temps, mais j'ai enfin découvert qui est Marc Harrison. Ce serait fait depuis longtemps si j'avais une meilleure mémoire des noms, ajouta-t-elle en fouillant dans son sac à main.

– Explique-toi, dit Cathlyn, maintenant tout à fait réveillée, en s'asseyant à son tour.

Enfin, après un silence qui lui parut interminable, Jeannie sortit une enveloppe de son sac et la lui tendit.

– Tom et moi avons trouvé ceci en faisant notre comptabilité l'autre soir, précisa-t-elle.

Cathlyn tira de l'enveloppe les photocopies de douze chèques de mille dollars chacun, tous à l'ordre du Foyer des anges. A l'instant où elle allait demander des explications à Jeannie, la signature du premier chèque retint son attention. Le cœur battant, elle vérifia les autres un à un. Ils avaient tous été émis par Marc Harrison.

– Cela dure depuis combien de temps? s'enquit-elle sans lever les yeux.

– Il nous envoie un chèque tous les mois depuis quatre ans. Pourtant, il vient d'y avoir du nouveau. Ce mois-ci, nous avons bien reçu un chèque d'un montant équivalent, mais signé par une fondation anonyme.

– Je vois.

En vérité, Cathlyn ne comprenait rien. Pourquoi Marc lui avait-il caché sa générosité? Apparemment, il versait des dons au foyer depuis fort longtemps. Or, il avait toujours fait comme s'il n'en avait jamais entendu parler. Qui était donc ce Marc Harrison? D'où tirait-il tout son argent?

Même si elle l'avait beaucoup vu ces dernières semaines, elle avait l'impression de le connaître moins que jamais. Il lui abordait volontiers avec elle toutes sortes de sujets, mais éludait obstinément ses questions dès qu'il s'agissait de son travail ou de sa famille. Elle savait seulement qu'il avait un frère, que ses parents étaient toujours en vie et que son père était juriste. Jamais elle ne les avait rencontrés, jamais elle n'avait aperçu le moindre ami de Marc, jamais il ne lui avait montré son bureau ou son appartement.

– Cathlyn? Tu es toujours là? s'enquit Jeannie.

– Oui, marmonna celle-ci. Qu'en pense Tom?

– Tom m'a conseillé de ne rien te dire, dit Jeannie en sortant d'un sac en papier deux croissants qu'elle posa sur la table. Il dit qu'un tas de gens nous versent des dons réguliers et que ça ne veut pas dire grand-chose. En tout cas, ça ne nous regarde pas, voilà son opinion. Évidemment, si je suis venue te trouver, c'est parce que je ne suis pas d'accord.

– Tu as bien fait. Cela dit, tout ceci est absurde.

– Je n'en suis pas si sûre.

– Si tu as une théorie, vas-y, fit Cathlyn en servant le café.

– Eh bien... Après avoir découvert ces chèques, j'ai cherché à comprendre. Nous recevons des dons réguliers de plusieurs personnes, c'est certain, mais ceux de Marc sont parmi les plus importants. Alors, je me suis souvenue de sa veste de cachemire et de la manière dont il a réglé toutes ces pizzas sans sourciller...

– Et te rappelles-tu, quand je te l'ai présenté, la manière dont il m'a interrompue avant que je puisse dire son nom de famille?

– C'est vrai, je l'avais oublié, fit Jeannie entre deux gorgées de café.

– Mais qu'est-ce que tout ça veut dire? Qui est ce type? Où veut-il en venir?

– Vraiment, tu n'en as pas la moindre idée après tout ce temps? Et tu prétends être psychologue?

– Je commence à m'interroger sur mes compétences, fit Cathlyn avec une moue dépitée. Je n'ai pas voulu voir les choses en face. C'est ce qu'on appelle la politique de l'autruche, non?

– Disons simplement que tu ne t'es pas trop creusé la cervelle à son sujet, répondit Jeannie en souriant. Cela dit, il me paraît impensable que tu ne te sois pas posé la moindre question.

– Si, bien sûr. Mais il ne voulait pas parler de lui et j'ai battu en retraite. Il m'a dit qu'il travaillait dans le bâtiment, et je m'en suis contentée. Je ne voulais pas de problèmes, Jeannie. Je m'amusais tellement!

– Et lui? Que sait-il de toi?

– Presque tout.

– Sur tes parents et le reste?

Cathlyn hocha la tête. Jeannie, sans la quitter des yeux, mordit dans son croissant.

– Tu tiens vraiment à lui, n'est-ce pas?

– Oui, répondit Cathlyn après une brève hésitation. Je crois.

– C'est bien ce que je craignais. Il y a autre chose... J'ai mis longtemps à m'en souvenir, mais ça m'est enfin revenu. Quelquefois, les filles regardent à la télé les infos locales. Un jour, j'ai vu par hasard l'interview de l'architecte responsable des nouveaux bâtiments du zoo... Il s'agissait d'un certain Marc Harrison, président de la société Harrison S.A.

– Un des architectes les plus célèbres du pays, compléta Cathlyn en hochant lentement la tête. Oui, j'en ai souvent entendu parler. Pas étonnant qu'il verse mille dollars par mois au foyer. Il pourrait se payer tout ce qui lui passe par la tête!

– A l'évidence, c'est un membre de la célèbre famille Harrison, le plus beau fleuron de l'élite de la rive droite. Argent, pouvoir, prestige... Ils pèsent des millions de dollars.

– Jeannie, c'est impossible! protesta Cathlyn, se sentant soudain trahie. Harrison est un nom très répandu.

– Crois-moi, je sais ce que je dis. Marc Harrison est un séducteur qui s'affiche avec des filles de rêve dans les endroits à la mode. Son nom se retrouve régulièrement dans les gros titres de la chronique mondaine. Au fait, tu l'y as vu mentionné récemment?

– Je ne lis jamais la chronique mondaine, dit tristement la jeune femme, effondrée.

– Moi si. Et je puis te dire qu'il s'est littéralement volatilisé ces dernières semaines. Depuis qu'il te voit, en fait.

– Formidable, lâcha Cathlyn d'une voix sépulcrale. Et alors?

– Tu es assez maligne pour le découvrir toute seule.

– Ce n'est pas possible... Le Marc Harrison que je connais est si drôle, si tendre, si chaleureux...
– Oui, mais n'oublie pas qu'il porte des costumes taillés sur mesure, qu'il fait de gros dons tous les mois et qu'il a signé les plans d'une foule de gratte-ciel dans la région. Tu sais, ajouta-t-elle d'un ton radouci, bien des femmes se réjouiraient d'apprendre que leur petit ami est millionnaire.
– Peut-être, mais je ne suis pas comme ça. Ce que je n'accepte pas, c'est qu'il m'ait caché la vérité. Pourquoi m'a-t-il menti?
– A toi de me le dire. Tu le connais bien mieux que moi.
– Ce n'est pas si sûr. Et maintenant? Qu'est-ce que je fais?
– J'aimerais pouvoir te donner la réponse. J'imagine que tu vas chercher à savoir qui il est vraiment et pourquoi il s'est fait passer pour ce qu'il n'est pas.
– Comment dois-je m'y prendre?
– Excellente question, mon amie, dit Jeannie en se levant. Tu devrais le lui demander.
– Merci beaucoup, répondit Cathlyn avec une pointe d'amertume. Vraiment, tes conseils me sont d'un grand secours.
– Bon, je te laisse, reprit Jeannie en lui tapotant l'épaule. N'hésite pas à m'appeler si tu as besoin d'un coup de main ou d'un conseil. Ce sont des choses qui arrivent, même aux psychologues!
– Merci, lança Cathlyn en la regardant s'éloigner.

Revenue à la cuisine, elle resta longtemps à scruter par la fenêtre les gros nuages pâles qui glissaient dans le ciel azuré. Elle fit la grimace en avalant une dernière gorgée de café froid.

En début d'après-midi, vêtue d'une salopette en

toile rose, elle était prête pour l'arrivée de Marc. La lessive était faite, la cuisine était rangée, tout était impeccable dans son petit appartement. Pendant toute la matinée, néanmoins, elle n'avait cessé de penser à lui, incapable d'admettre qu'il fût *le* Marc Harrison dont Jeannie lui avait parlé. Elle s'était sûrement trompée. Et pourtant, il était évident qu'il ne lui disait pas toute la vérité. Pourquoi?

Elle avait envisagé dans un premier temps de l'interroger de but en blanc, afin de régler le problème une fois pour toutes. Mais un lointain souvenir l'avait retenue. Un jour, elle avait adopté cette démarche avec son père, et il n'avait pas hésité à lui mentir. Même si elle était certaine que Marc ne réagirait pas ainsi – il était si différent de son père! – peut-être valait-il mieux envisager une autre approche. Ce qu'elle voulait, c'était l'amener à révéler volontairement son identité.

Après maintes réflexions, elle se souvint qu'il construisait de nouveaux bâtiments pour le zoo. Sur place, il y avait certainement une plaque mentionnant le nom de l'architecte... Elle ne put s'empêcher de sourire.

Lorsqu'elle l'entendit sonner, son plan était bien arrêté. Rirait bien qui rirait le dernier!

– Salut! lança joyeusement Marc en se penchant pour lui déposer un baiser sur la joue.

Cathlyn rougit imperceptiblement, sentant monter en elle un vague sentiment de culpabilité qu'elle chassa aussitôt de ses pensées.

– J'ai un cadeau pour vous, annonça Marc en lui tendant un bouquet frais cueilli de fleurs printanières.

– Elles sont splendides! s'exclama-t-elle en examinant l'assortiment. Violettes, jonquilles et boutons de rose, quelle merveille!

Spontanément, elle se jeta au cou de Marc et l'embrassa. Ce ne fut qu'en se rappelant sa récente résolution qu'elle s'écarta pour partir vers la cuisine. C'était décidé, ils iraient au zoo.

– Je vais les mettre tout de suite dans un vase, lança-t-elle de loin. Elles sont divines!

Marc la rejoignit devant l'évier et, pendant qu'elle disposait ses fleurs, entreprit de lui embrasser la nuque en se plaquant contre elle.

– Marc... murmura-t-elle, grisée, en fermant les yeux.

Dès qu'il la touchait, elle avait envie de s'abandonner pour l'éternité dans ses bras chaleureux. Pourtant, il lui fallait résister à la tentation, surtout aujourd'hui. Elle avait besoin de savoir. En se laissant faire, elle n'obtiendrait rien de lui.

– Marc! répéta-t-elle, plus fermement, en le repoussant. Il est déjà tard. Et d'ici au zoo, il y a presque une heure de trajet.

– Le zoo? s'exclama Marc, interloqué. Qu'est-ce que vous voulez qu'on fasse au zoo?

– Vous m'avez demandé d'organiser pour cet après-midi une balade en plein air, histoire de profiter du printemps..Et moi, j'ai choisi le zoo.

Son idée lui plaisait de plus en plus. Sur place, il suffirait de montrer à Marc la plaque de sa société pour qu'il se décide de lui-même à tout avouer.

– C'est trop loin, protesta-t-il. Vous l'avez dit vous-même. Pourquoi n'irions-nous pas plutôt à l'aquarium?

– Pour rester enfermés par une si belle journée? Voyons, Marc...

– Peut-être pourrions-nous aller à la pêche.

– Marc, dit-elle en le regardant droit dans les yeux, aujourd'hui, c'est moi qui choisis. Et je meurs d'envie d'aller au zoo.

Connaissant l'obstination dont elle était parfois capable, Marc comprit qu'il valait mieux se plier à ses vues. Une fois au zoo, il s'agirait simplement de la maintenir à respectueuse distance des nouvelles installations qu'il était en train d'y faire construire. Il ne se sentait toujours pas prêt à lui avouer sa véritable identité, craignant trop de la perdre aussitôt.

– Eh bien? interrogea Cathlyn.

– D'accord, soupira-t-il. Va pour le zoo.

Une heure plus tard, ils franchirent main dans la main la grande porte du zoo.

– Par quoi commençons-nous? demanda Cathlyn en consultant une batterie de panneaux indicateurs.

– Par les lions.

– Ne vaudrait-il pas mieux partir dans l'autre sens? Comme ça, si nous sommes fatigués, nous serons toujours plus près du parking.

– Quand êtes-vous venue ici pour la dernière fois?

– Il y a tellement d'années que je ne m'en souviens plus.

– Dans ce cas, mademoiselle, permettez-moi de vous proposer mon circuit super spécial. Au cas où vous l'ignoreriez, je connais ce zoo comme si je l'avais fait.

« Je veux bien vous croire », songea Cathlyn avec un sourire.

– J'ai une idée, dit-elle. Si nous achetions un plan?

– Pas question. Un plan nous gâcherait les joies de la découverte, fit-il en l'entraînant sur un sentier asphalté.

Résignée, Cathlyn se laissa conduire. Décidément, Marc ne faisait rien pour lui faciliter la tâche. Il lui faudrait donc espérer qu'ils passeraient à proximité d'un quelconque bâtiment de construction.

– Suivez le guide, mam'zelle, plaisanta Marc. Nous commencerons par les lions. Suivons donc ces traces de pattes peintes en vert sur le trottoir, tout en prenant garde à ne pas percuter d'objets dangereux, comme tous ces ballons... – Il se plia en deux pour en éviter un – et surtout les barbe-à-papa, qui sont sans aucun doute les plus terribles de tous...

Il dut s'arrêter brutalement pour ne pas entrer en collision avec une petite fille qui brandissait avec insouciance une boule de barbe-à-papa presque aussi grande qu'elle.

– ... Et qui attaquent plus volontiers au niveau des genoux, conclut-il en souriant.

Marc repartit de plus belle, marchant si vite que Cathlyn s'essoufflait à le suivre et n'avait pas même le temps de regarder autour d'elle.

– A votre gauche, expliqua-t-il sans ralentir, vous pourrez apprécier ce buisson d'hortensias d'un rose particulièrement éclatant. Sur votre droite, un magnifique parterre de tulipes, gracieusement planté et entretenu par la Société des dames du jardin zoologique. Et n'oubliez pas de suivre les empreintes vertes, car nous allons tourner à gauche au prochain croisement.

– Marc! implora-t-elle en s'arrêtant tout à coup. Je refuse de courir comme si nous avions à nos trousses un troupeau de girafes au galop.

– Les girafes sont inoffensives, dit-il en revenant sur ses pas. Et où est passé votre sens de l'aventure?

– Ça n'a rien à voir, protesta-t-elle. Simplement, je ne peux pas marcher si vite, surtout avec mes espadrilles à talons.

Baissant les yeux, elle constata qu'il portait, lui, des chaussures de marche en cuir souple. Il arborait également un pantalon de velours côtelé marron et un pull norvégien orné d'étroits motifs. Dans sa simplicité, sa tenue était d'une extrême élégance. En deux mots, il était idéalement vêtu pour l'occasion mais ne ressemblait pas pour autant à un mannequin. D'instinct, Cathlyn regarda tout autour d'elle dans l'espoir d'apercevoir quelque trace de chantier, mais en vain.

– Méditons un moment sur la beauté de cette journée, suggéra-t-elle d'une voix suave. Songeons aux charmes du printemps pour oublier le rythme trépidant de notre vie quotidienne... Observez le bleu éclatant du ciel, voûte immaculée seulement rompue çà et là par les blanches volutes de quelque nuage esseulé! Sentez-vous cette douce brise qui vous caresse la joue? Le subtil parfum qui monte de la terre féconde?

– Oui, répondit Marc, le sourire aux lèvres.

– Parfait. Vous êtes donc d'accord pour oublier la hâte dont vous avez fait preuve jusqu'à présent?

– Cathlyn Tate, vous êtes unique!

– Pas plus que vous, répondit-elle en souriant.

Les yeux aux reflets d'émeraude fixés sur elle faillirent bien faire oublier à la jeune femme la raison de sa présence au zoo. Tant de choses indicibles passaient dans ce regard!

– Maintenant, nous allons voir les éléphants, dit Marc en lui prenant la main.

Si par la suite Marc ralentit considérablement l'allure, ce fut bien la seule victoire de Cathlyn. En fin d'après-midi, tandis que le soleil déclinait à l'horizon, ils avaient sillonné le zoo en tous sens, observé les éléphants, les singes, les ours, les girafes et assisté au repas des tarentules, mais Cathlyn n'avait pas repéré la moindre trace de bâtiment en construction. Lorsque Marc lui proposa d'aller voir les tigres, elle leva le bras.

– Ça suffit, gémit-elle. Ils sont à l'autre bout du zoo, nous aurions dû passer les voir juste après les lions. Marc Harrison, vous m'avez offert la visite la plus illogique que j'aie jamais faite... Au fait, on m'a dit qu'ils étaient en train d'aménager de nouvelles attractions. Est-ce vrai?

– Ils sont toujours en train d'aménager quelque chose, répondit Marc en haussant les épaules.

– Puisque nous avons vu tout le reste, insista Cathlyn, pourquoi n'irions-nous pas jeter un coup d'œil au chantier?

– C'est à l'autre bout que ça se passe. D'ailleurs, les fondations sont à peine entamées. Il n'y a rien à voir.

Marc avait décidément réponse à tout. Il fallait donc tenter une autre approche.

– Comment se fait-il que vous connaissiez si bien ce zoo?

– J'ai toujours aimé ça, fit-il avec un grand sourire. Que voulez-vous, je n'ai pas le temps de m'offrir des safaris en Afrique! Il ne nous reste que quarante minutes avant la fermeture. Si vous voulez, nous pouvons nous arrêter un instant à la ferme modèle sur le chemin de la sortie.

Sur ce, Marc se remit en marche en sifflotant. Après avoir poussé un long soupir, Cathlyn lui emboîta le pas, tête basse. Son plan avait lamentablement échoué. Était-il possible que Marc ait intentionnellement évité la zone du chantier pendant tout l'après-midi? Elle en doutait. D'ailleurs, qui donc s'intéressait aux bâtiments en construction lors de la visite d'un zoo?

Après avoir ouvert le portail de la ferme modèle, Marc s'effaça pour la laisser entrer dans la cour gazonnée.

– Regardez, s'écria-t-elle. Des petits lapins!

Après avoir caressé quelques instants les charmantes bestioles, elle s'assit dans l'herbe à côté de Marc. Ils jouèrent avec un agnelet qui vacillait sur ses pattes frêles, puis visitèrent une salle où trônait un incubateur. Émerveillés, ils assistèrent à l'éclosion d'un œuf.

– C'est plus amusant que lorsque j'étais enfant, déclara Cathlyn avec enthousiasme. À l'époque, je ne crois pas que j'étais capable d'apprécier le miracle de la vie dans toute sa splendeur.

Un peu plus loin, elle s'accroupit devant un parc qui enfermait un énorme dindon et passa le doigt à travers le grillage.

– Faites attention, avertit Marc. Il a l'air de mauvais poil.

– Ils n'iraient pas jusqu'à mettre des animaux féroces dans une ferme modèle, expliqua Cathlyn en agitant le doigt de plus belle. Vous voyez, il ne me fera aucun mal.

Un éclair menaçant passa dans l'œil stupide du dindon.

– Attention! s'écria Marc en lui saisissant le bras.

Hélas, son réflexe était venu une fraction de seconde trop tard. Le bec hideux du dindon s'était refermé sur l'index de la jeune femme, qui poussa un hurlement de douleur.

– Il ne veut plus me lâcher! s'exclama-t-elle. Marc! Faites quelque chose!

Celui-ci tenta d'effrayer la bête en lançant des coups de pied dans le grillage, mais rien n'y fit. Désemparé, il appela le gardien à l'aidc, tandis qu'une foule s'agglutinait devant le parc.

– Donnez-lui un coup de bâton! suggéra quelqu'un.
– Jetons-lui des pierres! proposa un autre.
– Attendez! Ne lui faites pas de mal! intervint un jeune employé de zoo en franchissant le grillage d'un bond. C'est un spécimen extrêmement rare!
– Faites-lui lâcher mon doigt, c'est tout ce que je vous demande, sanglota Cathlyn, les yeux baignés de larmes.
Fou de rage, le dindon secouait la tête en tous sens sans desserrer le bec. L'employé s'approcha de lui en lui tendant une poignée de grains. Il lui murmura quelques mots compréhensibles de lui seul et l'animal, s'apaisant soudain, lâcha enfin l'index de Cathlyn pour se jeter sur les grains. Un tonnerre d'applaudissements secoua la foule. Marc entoura la jeune femme de ses bras pour l'aider à se relever. Son doigt dégoulinait de sang.
– Conduisez mademoiselle à l'infirmerie, dit l'employé. Quand elle aura signé le formulaire prévu à cet effet, le médecin l'examinera. C'est le règlement.
– Pas question, gémit Cathlyn, à la fois furieuse et gênée.
– Nous n'avons guère le choix, fit Marc. Votre doigt saigne énormément.
A l'infirmerie, un barbu en sandales vint leur ouvrir.
– Vous devez être la demoiselle qui vient d'être mordue par un dindon, risqua-t-il. On vient de m'appeler à ce sujet.
Penaude, Cathlyn hocha la tête.
– Je suis le Dr Stein, dit l'homme en s'effaçant. Veuillez entrer, je vais vous examiner.

Elle alla s'asseoir et étendit le bras sur une table recouverte de serviettes propres. Marc, pendant toute la durée de l'examen, se tint debout derrière elle.

– La blessure est profonde, annonça enfin le médecin, mais je ne crois pas que vous aurez besoin de points de suture. Un bon bandage devrait faire l'affaire. Cela dit, la cicatrisation risque de prendre un certain temps.

Cathlyn fit la grimace.

Quand le pansement fut terminé, le Dr Stein lui donna quelques dernières recommandations, puis les reconduisit à la porte. En silence Cathlyn et Marc repartirent vers la sortie. L'heure de fermeture étant déjà passée, le zoo était quasiment désert. Lorsqu'ils repassèrent devant l'enclos du dindon, Marc s'arrêta, la prit dans ses bras et lui donna un baiser.

– Comme je vous l'ai dit tout à l'heure, Cathlyn, vous êtes décidément unique.

– Merci beaucoup, répondit celle-ci en baissant le regard sur son doigt tout saucissonné de gaze. En effet, je suis certaine d'être la première de vos conquêtes à se faire mordre par un dindon si bêtement.

Marc l'étreignit de plus belle. Aux imperceptibles soubresauts de sa poitrine, elle sentit qu'il riait.

5

LUNDI matin de bonne heure, Cathlyn franchit en silence le seuil de son cabinet.

– Bonjour, docteur! lui lança joyeusement Shirley, assise à son bureau.

Aussitôt, Cathlyn cacha derrière son dos sa main bandée.

– Vous êtes bien matinale, remarqua-t-elle sans s'arrêter, en passant le plus loin possible de sa secrétaire.

– Je voulais me débarrasser une bonne fois pour toutes de ces formulaires d'assurance, expliqua Shirley, menton sur le poing. Entre vos clients et tous ces appels, je n'ai jamais le temps de les remplir. Docteur, je crois vraiment que vous travaillez trop.

– Je sais, Shirley, lâcha Cathlyn en pénétrant dans son cabinet, main droite toujours dans le dos.

Après s'être débarrassée de son manteau, elle se laissa tomber dans son fauteuil, éjecta ses chaussures et posa les pieds sur une autre chaise.

– J'ai mal partout, maugréa-t-elle pour elle-même. Mal aux pieds, mal au doigt, mal au crâne... Tout ça pour rien! Je n'ai strictement rien appris sur Marc! Zéro pointé!

– C'est à moi que vous parlez? fit Shirley en apparaissant sur le seuil avec une tasse de thé fumante.

– Pas vraiment, marmonna rudement Cathlyn.

– Oh la la..., ironisa Shirley. Nous voilà de bien belle humeur, ce matin! Peut-être ceci arrangera-t-il les choses, ajouta-t-elle en déposant le café devant Cathlyn. A moins que vous n'ayez l'estomac vide, naturellement...

– Oui, j'ai l'estomac vide, bougonna Cathlyn. Vraiment, je me demande pourquoi tout le monde se soucie tellement de mon alimentation. Marc cherche toujours à me faire manger quelque chose.

– Je vois, fit la secrétaire. Problèmes de cœur... Vous vous êtes disputés?

– Non.

– Il vous a demandé votre main?

– Non.

– Quel dommage! soupira Shirley, théâtrale. Bon, je vais vous chercher un sandwich en bas.

– Je n'ai pas faim, protesta Cathlyn.

– Avec du fromage, lança Shirley en sortant. Ça vous permettra de vous faire les dents sur autre chose que sur moi.

– Excusez-moi...

– Ce n'est rien, répondit la secrétaire depuis le couloir. Les psychologues ont eux aussi leurs problèmes personnels.

Cathlyn fit la grimace. Elle avait horreur d'être ainsi sermonnée par Shirley. D'ailleurs, ses problèmes personnels ne regardaient personne. Après avoir avalé deux cachets d'aspirine, elle ouvrit un classeur et entreprit de compulser les colonnes de statistiques qui devaient servir de base à son prochain travail de recherche. Au bout de quelques minutes, cependant, elle constata que l'inspiration lui faisait complètement défaut. Soudain, elle eut envie d'appeler Jeannie et consulta sa montre. A cette heure-ci, son amie était certainement seule au foyer.

– Quoi? s'écria Jeannie à l'autre bout du fil.

– Je te dis que j'ai été mordue par un dindon, répéta Cathlyn. C'était sans doute un dindon mangeur d'hommes.

– Je ne te crois pas, fit Jeannie, hilare. Et tout ça pour rien?

– Le bide total. Je n'ai même pas aperçu l'ombre d'un chantier.

– Tu devrais lui parler franchement, Cathlyn. Ça t'éviterait bien des ennuis inutiles.

– Je reste persuadée qu'il y a une meilleure solution.

– Tu es têtue, n'est-ce pas? Attends... Ça y est, j'ai une idée! Pourquoi ne l'inviterais-tu pas à déjeuner?

– Je ne vois pas ce qu'un...

– Réfléchis un peu! Emmène-le dans un endroit chic, un restaurant à la mode où, s'il est bien celui que je pense, il sera reconnu sur-le-champ!

– Le *Rive Gauche*, par exemple! Jeannie, tu es formidable! s'exclama Cathlyn en esquissant un large sourire. Je te rappelle cette semaine. Pour l'instant, j'ai une réservation à faire.

Lorsque Shirley revint avec son sandwich, elle trouva sa patronne occupée à étudier ses statistiques en sifflotant.

– Formidable, Shirley, dit-elle en prenant le sandwich pour y mordre goulûment. Je meurs de faim!

– Voilà ce qu'on appelle une personnalité instable, observa Shirley en posant les yeux sur le doigt bandé de Cathlyn. Qu'est-il arrivé à votre main?

– C'est un dindon qui m'a mordu, fit distraitement celle-ci.

– Pardon?

– Samedi, un dindon m'a mordu au zoo. Marc s'est montré si attentionné que j'ai décidé de l'inviter à déjeuner au *Rive Gauche*. Mais il ne faut rien lui dire, je tiens à lui faire la surprise.

– C'est parce qu'un dindon vous a mordu que vous offrez à Marc un déjeuner dans le restaurant le plus en vue de Chicago? Sans le lui dire? Vous avez plus de problèmes que je ne le croyais.

– Je ne vois pas où est le problème, fit Cathlyn en se raidissant sur son fauteuil. Vous avez quelque chose contre le *Rive Gauche*?

– Rien, si ce n'est son prix... Et la faune qui le fréquente. Ce n'est pas votre genre, docteur.

– Il faut savoir varier les plaisirs, décréta Cathlyn en reportant son attention sur ses dossiers.

Le vendredi matin, Cathlyn apparut à son cabinet vêtue d'une robe rose bonbon et d'un chapeau tressé, orné d'une voilette.

– Tiens, voilà le printemps en personne, observa Shirley.

– Merci, répliqua Cathlyn d'un ton emphatique. Aujourd'hui, j'ai envie d'être remarquée.

– J'imagine que Marc n'y est pas étranger?

– Naturellement. Prévenez-moi dès son arrivée.

– Comptez sur moi, promit la secrétaire.

Vers midi, lorsque l'interphone sonna enfin, Cathlyn se passa un coup de brosse dans les cheveux et remit son chapeau à la hâte. Puis, après avoir pris une longue inspiration, elle sortit de son bureau.

Marc se leva dès qu'il l'aperçut et la prit dans ses bras.

– Vous êtes splendide, dit-il en l'embrassant.

– Merci...

– Hum, intervint Shirley d'une voix claire. Désolée de vous interrompre, mais votre taxi vous attend devant l'entrée.

– Allons-y, proposa Marc sans quitter Cathlyn des yeux.

Jamais elle ne lui avait paru si belle. Presque malgré lui, il étendit la main pour effleurer les mèches soyeuses qui tombaient en cascade de son ravissant chapeau.

– Amusez-vous bien, leur lança Shirley comme ils sortaient.

En taxi, le *Rive Gauche* était tout près. Marc se demandait où elle l'emmenait, mais se retint de l'interroger, sentant qu'elle tenait à lui faire la surprise. Visiblement, le chauffeur avait été prévenu à l'avance de leur destination. Cathlyn avait l'air ravie.

– Nous voici arrivés, annonça-t-elle quand le taxi s'engagea dans l'allée en demi-lune qui menait au *Rive Gauche* avant de s'immobiliser devant l'auvent de couleur pourpre.

Aussitôt, un portier en grand uniforme se précipita pour ouvrir la portière et attendit que Marc et Cathlyn descendent du taxi. Marc, stupéfait, ne bougea pas. A peine sortirait-il un pied de voiture qu'il serait aussitôt reconnu par une douzaine de personnes qui viendraient le trouver pour lui demander de ses nouvelles. Le *Rive Gauche* était l'endroit par excellence où l'on venait avant tout pour voir et être vu. Lui-même, il n'y avait pas si longtemps, avait joué à ce jeu-là. Qu'allait-il faire?

– Marc?

Il lui fallait prendre une décision immédiate.

– Cathlyn! s'exclama-t-il. Comment avez-vous pu? Croyez-vous que je vous laisserais m'inviter dans un restaurant aussi cher?

– Voyons, Marc, dit-elle, abasourdie. J'y tiens absolument, pour vous remercier de vous être si bien occupé de moi samedi dernier.

Elle fit mine de sortir du taxi, mais Marc la retint.

– Nous ne déjeunerons pas ici.

– Si, répliqua-t-elle d'un air de défi.

– Allez-vous vous décider? s'impatienta le chauffeur.

– Nous repartons, ordonna Marc en refermant sans cérémonie la portière de Cathlyn. Prenez la route du lac.

– Marc! protesta Cathlyn, furieuse. Vous ne pouvez pas faire ça!

– Pas question de vous laisser jeter votre argent par les fenêtres, dit Marc en se penchant sur elle. Nous trouverons autre chose. Quelque chose de plus intime...

Sur ces mots, il l'embrassa tendrement sur les lèvres. Troublée, Cathlyn sentit aussitôt fondre sa colère.

– Mais...

– Il n'y a pas de mais, souffla-t-il en s'emparant de nouveau de ses lèvres entrouvertes.

Le taxi roulait, mais Cathlyn, subjuguée par l'ardeur croissante des baisers de Marc, ne s'en rendait pas compte. Lorsque après un temps infini son compagnon se redressa, elle réalisa qu'ils longeaient déjà les rives bleutées du lac Michigan.

– J'ai une idée, dit Marc en claquant des doigts. Si nous allions pique-niquer sur la plage? Nous n'avons qu'à acheter du pain, du fromage et une bonne bouteille de vin.

– Un pique-nique? Aujourd'hui?

– Arrêtez-vous au prochain carrefour, ordonna-t-il au chauffeur. Je connais une épicerie fine tout près d'ici. Nous y trouverons tout ce dont nous avons besoin.

– Mais... Je ne suis pas du tout habillée pour un pique-nique, objecta Cathlyn d'une voix hésitante.

– Est-ce vraiment important?

– Non, répondit-elle, hypnotisée par son regard émeraude. Non, ce n'est pas important.

– Je retrouve enfin votre sens de l'aventure.

– La dernière fois que je m'y suis fiée, je me suis fait mordre par un dindon, fit-elle en brandissant sa main bandée.

– Je vous promets qu'il n'y a pas de dindons sur la plage, assura Marc en déposant un bref baiser sur son pansement.

– Oui, mais il y a des mouettes, remarqua-t-elle, souriante, en descendant du taxi qui venait de s'arrêter devant l'épicerie.

– Vous n'avez qu'à garder votre chapeau, ça leur en imposera.

Sur la plage, le temps était idéal pour un pique-nique. Le soleil brillait de tous ses feux sur la surface chatoyante du lac, à peine ridée par une brise caressante. Ensemble, ils trinquèrent joyeusement pour fêter le retour du printemps. Lorsque le repas fut terminé, Marc ôta sa veste et retroussa les manches de sa chemise, puis s'allongea au côté de Cathlyn pour offrir son visage aux chauds rayons du soleil.

– Vous regrettez encore le restaurant? demanda-t-il en s'étirant voluptueusement.

Tout sourire, Cathlyn suivit des yeux le vol d'une mouette qui semblait plonger vers les innombrables gratte-ciel dont la silhouette se découpait dans le lointain.

– Non, souffla-t-elle. Je ne regrette absolument rien.

Les yeux clos, Marc se sentait tenaillé par le besoin d'avouer toute la vérité à la jeune femme. A l'origine, il n'avait pas eu l'impression de la tromper. Mais au fil des semaines, tandis qu'il se rapprochait d'elle peu à peu, tout avait changé. Plus le temps passait, plus il se sentait coupable. Peut-être le moment était-il venu. Ouvrant un œil, il contempla un instant sa compagne dont les noirs cheveux dansaient au vent.

– Cathlyn... Il faut que je vous dise quelque chose.

Deux grands yeux bleus se posèrent sur lui comme une caresse, emplis de confiance et de douceur. Son cœur se serra. Que se passerait-il si elle n'était pas prête? Ne risquait-il pas de la perdre à jamais? Lui pardonnerait-elle un jour?

– Oui?

– Si nous allions nous baigner? proposa-t-il brusquement, pris de panique, en la prenant par la main.

– Nous baigner? répéta-t-elle, sans chercher à masquer sa surprise.

Un instant, elle avait eu l'impression qu'il allait lui confier quelque chose d'important. Mais s'il avait changé d'avis, à quoi bon insister?

– Venez, dit-il en la faisant lever.

– Je ne peux pas. Je porte des bas.

– Retirez-les. Si vous voulez, nous nous contenterons de courir au bord des vagues.

Vaincue, Cathlyn s'exécuta pendant que Marc,

après avoir ôté chaussures et chaussettes, retroussait son pantalon à hauteur des genoux.

– Allons-y! s'écria-t-elle joyeusement en l'entraînant par la main sur le sable tiède.

En quelques foulées, ils eurent les pieds dans l'eau glaciale où dansaient de petites algues tourbillonnantes. Comme deux grands enfants, ils coururent à perdre haleine le long des vagues. Lorsqu'ils furent à bout de souffle, ils s'arrêtèrent en titubant et éclatèrent de rire. Cathlyn, épuisée, se réfugia dans les bras de Marc.

– Montons là-haut, dit-il en désignant un groupe de rochers qui se dressait un peu en retrait sur la plage. Le soleil aura tôt fait de nous sécher.

Tremblante de froid, Cathlyn le suivit jusqu'à un grand rocher plat qui dominait tous les autres. Ils s'y assirent l'un contre l'autre.

– Vous grelottez, remarqua-t-il en l'enlaçant.

– Ça ira mieux dans une minute.

Il l'embrassa.

– Vos lèvres sont glacées, remarqua-t-il en s'écartant.

– Il ne tient qu'à vous de les réchauffer.

Enroulant les bras autour du cou de son compagnon, elle lui rendit son baiser avec une fougue qui mit en ébullition les sens de Marc. Très vite, la fraîcheur du lac ne fut plus qu'un lointain souvenir. Tendrement enlacés, ils restèrent longtemps immobiles dans la brise printanière à contempler le vaste horizon liquide. Puis Cathlyn, prise d'une nouvelle ardeur, se retourna vers Marc et lui déposa au creux du cou une série de baisers de plus en plus torrides. Elle sentit les doigts de l'homme se crisper sur ses épaules.

– Vous ne tremblez plus, murmura-t-il, le souffle court.

– Non..., fit-elle en glissant la main dans sa chemise entrouverte. Vous me faites du bien, Marc. Beaucoup de bien.

Marc lui baisa la joue, puis laissa glisser ses lèvres jusqu'au lobe de l'oreille de Cathlyn avec lequel il joua voluptueusement. Le pouls de la jeune femme s'accéléra aussitôt.

– Je comprends, Cathlyn, souffla-t-il d'une voix rauque. Je ressens la même chose... De plus en plus fort...

Le silence retomba. Enfin, Marc se leva à contrecœur et aida Cathlyn à redescendre sur la plage, qu'ils longèrent sans un mot. Toujours pieds nus, ils rejoignirent l'avenue et hélèrent un taxi.

6

LORSQUE Cathlyn pénétra dans son cabinet le lendemain matin, elle trouva le journal ouvert sur son bureau. Un entrefilet y avait été entouré au feutre rouge.

Fronçant les sourcils, elle s'installa dans son fauteuil. Shirley n'avait pas l'habitude de lui présenter ainsi le journal du matin. Elle parcourut rapidement du regard les divers potins de la chronique mondaine avant de lire le paragraphe encadré :

« La question du jour : qui est la mystérieuse demoiselle que Marc Harrison a conduit hier midi juqu'au seuil du *Rive Gauche* avant de s'enfuir en taxi ? Serait-elle la raison de sa récente disparition du monde ? »

La jeune femme fut traversée d'un frisson. Dans une certaine mesure, son plan avait fonctionné, même si ce n'était pas de la manière dont elle l'aurait voulu. Elle était fixée. Marc était bien celui qu'elle pensait : Marc Harrison, play-boy richissime et célèbre dans toute la région. Et alors ? Cela, elle s'en doutait depuis longtemps. L'important était qu'elle n'était toujours pas parvenue à le lui faire avouer. Pourquoi s'obstinait-il à lui cacher la vérité?

Elle froissa le journal et le jeta dans la corbeille à papiers avant de se rendre à la fenêtre. Comme tous les matins à la même heure, les rues étaient encombrées par des files de voitures qui se rendaient en procession vers les bureaux du centre. Cathlyn secoua la tête. A quel jeu jouait-il? N'était-il pas paradoxal qu'elle, psychologue de profession, ait pu se laisser abuser de si criante manière?

Le cœur serré, elle se laissa retomber dans son fauteuil. Force lui était d'admettre qu'elle avait encouragé Marc à lui mentir. Leur rencontre avait été si merveilleuse qu'elle avait inconsciemment tout fait pour continuer à croire à une situation totalement artificielle. En s'obstinant à tourner le dos à la réalité, elle s'était engagée dans une impasse. Il lui fallait en sortir au plus tôt.

Il était à peine huit heures, et Marc partait rarement à son bureau avant neuf heures. D'ailleurs, songea-t-elle avec amertume, il ne travaillait que parce qu'il le voulait. A cette idée, la jeune femme sentit monter en elle une sourde colère. Elle avait été trompée, sciemment et systématiquement. Prise d'une soudaine impulsion, elle se leva d'un bond, attrapa son manteau et sortit de son bureau, manquant entrer en collision avec Shirley qui lui apportait des gâteaux secs.

– Docteur! Vous avez lu le journal?

– Oui, répondit sèchement Cathlyn. Je sors, Shirley. Si vous n'avez pas de nouvelles de moi à treize heures, annulez mon rendez-vous avec M. Gavin, c'est le seul de la journée.

– Tout va bien, docteur?

– Très bien. Simplement, je dois absolument

régler aujourd'hui une vieille affaire qui n'a que trop attendu.

Sur ces mots, elle s'arrêta net, réalisant qu'elle ignorait jusqu'à l'adresse de Marc. Elle la lui avait demandée quelquefois, mais il s'en était toujours tiré par des réponses fort vagues, disant notamment qu'il vivait dans un appartement situé en bordure du fleuve. Il l'y amènerait bientôt, avait-il ajouté pour couper court à sa curiosité. Naturellement, il n'en avait plus reparlé par la suite. Après avoir poussé un soupir, Cathlyn se retourna vers sa secrétaire.

– Au fait, Shirley, demanda-t-elle avec une feinte indifférence, auriez-vous l'adresse de M. Harrison?

– « Monsieur » Harrison? Il possède un appartement en terrasse à River Place. Cela dit, docteur, je crois vraiment que vous...

– Merci, Shirley, coupa Cathlyn en s'éclipsant sans attendre.

Du fond de son taxi, la jeune femme regardait défiler les files interminables d'immeubles et de véhicules. Pourquoi lui avait-il caché son identité? se répétait-elle sans cesse. Et surtout, pourquoi l'avait-elle laissé jouer ce jeu si longtemps? Pourquoi ses sentiments l'avaient-ils emporté sur la raison? Lorsque le taxi s'arrêta enfin devant River Place, un immense gratte-ciel aux lignes élégantes, Cathlyn bouillonnait de rage intérieure. Marc n'aurait jamais dû la traiter comme il l'avait fait. Dans quelques instants, il allait s'en mordre les doigts.

Le vaste hall du River Place était d'un blanc immaculé. Au plafond voûté étaient suspendus d'énormes lustres de cuivre auxquels scintillaient d'innombrables petites lumières. Sans s'attarder un instant à admirer le luxe du décor, Cathlyn se raidit et passa d'une démarche assurée devant le bureau du gardien, à qui elle adressa un petit signe de tête. Celui-ci fronça les sourcils, mais ne fit rien pour l'arrêter.

A chaque fois, ses escarpins résonnaient sèchement sur le sol dallé de marbre blanc. Sans tourner la tête, elle repéra du coin de l'œil la batterie d'ascenseurs et s'y rendit tout droit. Bien des années auparavant, elle avait appris qu'il suffisait d'avoir l'air sûr de soi pour pouvoir pénétrer pratiquement n'importe où. Si elle soulevait le moindre soupçon du portier, Marc serait prévenu de son arrivée avant même qu'on l'autorise à monter, et elle tenait absolument à bénéficier de l'effet de surprise.

S'étant engouffrée dans un ascenseur, elle l'envoya au dernier étage. A sa montre, il était huit heures vingt-deux. Elle plissa les lèvres. L'entrevue ne durerait pas plus de cinq minutes, songea-t-elle. A neuf heures, elle pourrait être de retour à son bureau.

Les portes de l'ascenseur s'ouvrirent sur un vaste couloir dont le parquet de chêne était en partie recouvert par un long tapis d'Orient. Après s'être arrêtée devant trois somptueuses portes en noyer sculpté, Cathlyn finit par sonner à la quatrième, sur la plaque de cuivre de laquelle était gravé le nom de Marc.

Bientôt, la porte s'entrouvrit en un long grincement, juste assez pour permettre à la jeune femme de constater que l'homme qui se tenait derrière n'était pas Marc.

– Oui? s'enquit l'inconnu.

– Je viens voir Marc Harrison, articula-t-elle de son ton le plus assuré.

– Et qui dois-je annoncer? insista l'autre.
– Cathlyn Tate.
– Un moment, madame.
Quelques instants plus tard, Cathlyn entendit le valet défaire la chaîne du verrou, puis la porte s'ouvrit en grand. Elle se retrouva face à un homme d'une soixantaine d'années, au crâne parfaitement lisse et à la barbe taillée comme un gazon anglais.
– M. Harrison m'a chargé de vous conduire à la bibliothèque, expliqua l'homme en refermant la porte derrière elle. Il vous y rejoindra aussitôt.
– Qui êtes-vous?
– Mon nom est Jones. Je suis au service de M. Harrison. Veuillez me suivre, s'il vous plaît.
Après que Cathlyn eut refusé de se faire servir une tasse de café, Jones la laissa seule dans la bibliothèque, dont deux des murs étaient couverts de livres du sol au plafond. Devant elle, une immense baie vitrée offrait une vue plongeante de Chicago et ses tours d'acier et de verre qui se dressaient contre l'horizon. D'où elle était, elle ne pouvait s'empêcher de ressentir une agréable sensation de puissance. Toute la ville s'étalait à ses pieds.
– Cathlyn? Que faites-vous ici?
Venue du couloir, la voix la fit sursauter. Lentement, elle se retourna pour lui faire face. Sa chemise était entrebaîllée, ses cheveux encore trempés de la douche qu'il venait de prendre. Un torrent d'émotions mêlées de doux souvenirs envahit la jeune femme et lui brouilla un instant les idées.
– Ce que je fais ici? répéta-t-elle froidement. Je pourrais vous retourner la question.
– J'y habite.

– C'est ce que je vois.

Il se contenta de l'observer en silence. Sentant renaître sa colère, Cathlyn se retourna vers l'ample fenêtre. Tout à coup, les mots lui faisaient défaut. Un instant plus tard, les mains de Marc se posèrent sur ses épaules.

– J'aurais dû tout vous dire, dit-il d'une voix douce. Comment avez-vous découvert la vérité?

– Vous n'avez pas dû lire la chronique mondaine du journal de ce matin, fit Cathlyn d'une voix qu'elle voulait calme.

– Que disait-elle?

– Il semblerait que nous... que vous ayez été reconnu hier devant le *Rive Gauche*.

– Bon sang..., marmonna-t-il sans la lâcher. Je ne m'attendais pas à ce que vous l'appreniez ainsi, Cathlyn.

– Vraiment? cingla-t-elle en se libérant.

– Vraiment.

– Et à quoi vous attendiez-vous donc? explosa-t-elle. Vous aviez peut-être l'intention de m'envoyer une belle lettre à en-tête quand vous l'auriez jugé bon? A moins que vous n'ayez jamais envisagé un instant de me dire la vérité... Vous avez dû follement vous amuser à ce petit jeu! Et quand il vous aurait enfin lassé, vous auriez disparu de la circulation! En attendant une autre proie...

– Taisez-vous! ordonna-t-il d'une voix si brusque qu'elle recula d'un pas. Vous avez le droit d'être en colère, mais ce n'est pas une raison pour lancer des accusations grotesques!

– Vous n'avez qu'à me mettre à la porte, fit-elle d'une voix glaciale.

– Ce n'est pas mon intention. Simplement, je voudrais que vous vous asseyiez et que vous m'écoutiez une minute.

– Pour me faire des excuses? Pour me dire que vous avez poussé le bouchon un peu trop loin avec vos mensonges?

– Je ne vous ai jamais menti.

– Quoi? Vous n'avez rien fait d'autre depuis le début!

Les mains dans les poches, Marc se mit à arpenter la salle.

– Je me suis contenté de ne pas vous dire qui je suis. Au départ, c'était intentionnel. Ensuite, je... j'ai eu l'impression d'être pris à mon propre piège. Je n'arrivais plus à m'en dépêtrer.

– C'est tout ce que vous avez à dire?

– Si vous vous calmez, je suis disposé à m'expliquer, répliqua-t-il en élevant la voix à son tour. Bon sang, Cathlyn, asseyez-vous une minute!

Impressionnée, elle prit place à l'extrémité d'un canapé de cuir bleu qui faisait face à la baie vitrée. Bras croisés sur la poitrine, Marc vint se planter devant elle.

– Et maintenant, déclara-t-il, sachez pour commencer que je ne vous ai pas menti...

– Vous l'avez déjà dit.

– Laissez-moi parler, commanda-t-il. Jamais je n'ai pensé que les choses pourraient en arriver là. C'est un concours de circonstances, voilà tout.

Cathlyn le fusilla du regard, mais resta muette.

– Le jour où nous nous sommes rencontrés dans ce taxi, j'ai senti que vous n'étiez pas comme la majorité des femmes. Vous étiez si ouverte et si drôle! Ce jour-là, je n'ai pas vraiment eu l'occasion de vous parler de moi. Par la suite, je l'ai fait exprès. J'ai déjà eu des mésaventures avec les femmes, Cathlyn. Celle qui aiment l'argent et le pouvoir...

– Vous avez pensé que j'en voulais à votre argent? s'exclama-t-elle, furieuse et interloquée.

– Je n'ai rien pensé du tout. Je ne vous connaissais pas. Mais nos premiers rapports m'ont tellement plu qu j'ai décidé de préserver leur authenticité quelque temps.

– Formidable! s'écria Cathlyn, sarcastique. Qu'entendez-vous par « quelque temps? » Deux mois? Deux ans?

Marc s'approcha de la fenêtre, pensif mais néanmoins serein. Apparemment, songea Cathlyn en l'observant à la dérobée, il semblait en paix avec sa conscience.

– Je ne voulais pas que ça dure si longtemps, dit-il lentement. Mais après cette soirée au Foyer des anges où vous m'avez parlé de votre famille, j'ai senti que mon milieu risquait de s'interposer entre nous. C'est alors que j'ai décidé d'attendre que nous nous connaissions mieux pour vous dire la vérité... Et très franchement, Cathlyn, je crois que j'ai eu raison.

– J'en suis ravie pour vous, rétorqua Cathlyn en se levant. Pour ma part, je considère que vous m'avez manqué de respect et qu'il est inutile de poursuivre cette discussion.

– Juste un instant, ordonna Marc en faisant un pas vers elle. D'abord, je veux que vous répondiez à une question. Lorsque je vous ai rappelée la première fois, auriez-vous accepté mon invitation si vous aviez su qui j'étais?

– Ça n'a rien à voir!

– Au contraire. Répondez.

– Peut-être pas, fit Cathlyn en baissant les yeux; mais à l'époque, vous ne me connaissiez pas assez pour pouvoir le deviner. D'ailleurs, pourquoi ne m'avez-vous jamais avoué la vérité par la suite?

– Hier, à la plage, j'ai bien failli le faire.

Certaine qu'il disait vrai, Cathlyn hésita un instant.

– Qu'est-ce qui vous en a empêché?

– Je ne sais pas, répondit Marc en se détournant, mains dans les poches. Je crois que j'ai eu peur. Je ne voulais pas vous perdre.

Désorientée, Cathlyn se rassit. Elle était venue dans l'idée bien arrêtée de mettre un terme brutal à leur liaison, mais n'était plus sûre de rien à présent. En voyant Marc s'asseoir près d'elle, elle se raidit et s'écarta quelque peu. Pouvait-elle faire confiance à un homme si doué pour la dissimulation?

– Il y a beaucoup de choses que vous ne pouviez comprendre, poursuivit-il d'une voix éteinte.

– Il ne tient qu'à vous d'éclairer ma lanterne.

– On a toujours essayé de me faire entrer dans un moule auquel j'étais censé correspondre parfaitement, reprit-il, amer. « Tu es Harrison », voilà ce que j'entends depuis que je suis tout petit. Et moi, voyez-vous, j'en ai eu par-dessus la tête d'être encore et toujours un Harrison.

– Ça n'a pas que des inconvénients, objecta Cathlyn en promenant son regard sur la somptueuse bibliothèque.

– C'est vrai, je ne me suis pas laissé poussé les cheveux pour partir pieds nus dans les rues de San Francisco, si c'est ce que vous voulez dire...

– En effet... Même si vous vous êtes fait un peu tirer l'oreille, vous avez fini par suivre bien sagement la voie royale que tous les Harrison ont suivie avant vous.

– Demandez donc à mon père ce qu'il en pense! dit-il avec un rire sans joie. Un bon Harrison va à Harvard décrocher un diplôme de droit.

Lorsque j'ai refusé de le faire, il a failli me déshériter. Je me suis payé mes études pratiquement tout seul. Mon père a mis trois ans à admettre que je puisse un jour devenir architecte. C'était mon rêve, et aussi ma seule chance de réaliser quelque chose de concret sans marcher sur les traces de ma famille.

Marc s'était relevé et arpentait de nouveau la bibliothèque. De peur de l'interrompre, Cathlyn osait à peine respirer.

– Il y a autre chose que vous pouvez peut-être comprendre, poursuivit-il. L'argent et le pouvoir, c'est très bien, mais il y a l'envers de la médaille. Ils faussent les rapports humains... Impossible de savoir si les gens tiennent à vous ou s'intéressent seulement à ce que vous pouvez faire pour eux, ajouta-t-il en se rasseyant, visiblement ému. Tout ce que je voulais, Cathlyn, c'était entretenir avec quelqu'un pour une fois, des relations normales. Parler, rire, aller au cinéma, me promener avec vous sans que toute cette masse d'argent ne pèse sur nos têtes...

– Au début, je vous comprends. Mais ensuite? Pourquoi m'avoir si longtemps caché la vérité? Vous n'avez pas confiance en moi?

– Voyons, Cathlyn! s'écria Marc. Évidemment, j'ai confiance en vous!

– Vous avez une curieuse façon de le montrer.

– Que pouvais-je faire? Venir frapper chez vous en pleine nuit pour vous dire « Au fait, il y a un petit détail dont j'ai oublié de vous parler... »?

– Ça aurait été mieux que rien. En fin de compte, vous n'auriez jamais dû chercher à me tromper.

– Comment aurais-je pu le deviner? Comment aurais-je pu savoir que je finirais par attacher tant d'importance à vos sentiments à mon égard?

– Vous voulez dire que vous avez continué à mentir parce que...

– Parce que je vous aime!

Abasourdie, Cathlyn le dévisagea un long instant, cherchant la vérité sur ses traits. Était-il possible que l'amour soit à l'origine de sa duplicité? Presque malgré elle, elle étendit le bras et lui prit la main. Les choses s'éclaircissaient peu à peu dans son esprit. Si elle-même avait désespérément cherché à le croire contre toute vraisemblance, c'est parce qu'elle était en train de tomber amoureuse de lui.

– Cathlyn..., souffla Marc d'une voix tremblante. Ne voyez-vous pas ce qui s'est passé entre nous?

– Je commence seulement...

– Et me croyez-vous quand je dis que je vous aime?

Elle ne put lui répondre. De toutes ses forces, elle souhaitait lui faire confiance, mais ne pouvait cependant oublier qu'il l'avait déjà trompée.

– Cathlyn, vous devez me croire, implora-t-il en lui serrant le bras. Comment pourrais-je vous prouver à quel point je vous aime?

Il la prit soudain dans ses bras, puis s'empara de ses lèvres enfiévrées de passion et l'embrassa avec une fougue irrésistible. Comme si elle redoutait d'être emportée au loin par la vague d'émotions qui venait d'exploser en elle, Cathlyn s'agrippait à lui de tout son corps, lui labourant le dos de ses doigts crispés.

– Marc, je vous aime..., murmura-t-elle en se laissant glisser avec lui sur le canapé sans desserrer son étreinte.

– Vous êtes tout pour moi, souffla-t-il en égrenant un chapelet de baisers brûlants sur sa joue, son cou et sa gorge soulevée de désir.

Cathlyn poussa un gémissement de plaisir et renversa la tête en arrière, bouche entrouverte. Après avoir joué un instant avec ses longues mèches brunes qui roulaient en cascade sur les coussins, Marc reprit impérieusement possession de ses lèvres, soulevant chez la jeune femme une tempête de volupté. Enhardi, il glissa la main sous la douce étoffe de son corsage et s'attarda sur les courbes fermes de ses reins.

– J'ai envie de vous, Cathlyn, lui glissa-t-il d'une voix rauque entre deux baisers. Je veux vous faire l'amour...

Ivre d'émoi, elle enroula les bras autour de son cou.

– Serre-moi contre toi, Marc. Ne me lâche pas, je t'en supplie...

– Je ne te lâcherai pas, mon amour, murmura-t-il tendrement en lui ôtant son corsage. Ni maintenant ni plus tard...

L'œil étincelant de désir, il contempla un long instant les formes délicates de la jeune femme au buste nu qui était assise face à lui. A cet instant, elle était plus belle que jamais. Après l'avoir encore une fois embrassée, il la déshabilla entièrement, et se leva pour se débarrasser à la hâte de sa chemise et de son pantalon. Dans la lumière du matin, son corps puissant aux tons dorés évoquait la grâce d'une statue antique. Subjuguée, Cathlyn lui ouvrit les bras en murmurant son nom. Marc, fou d'amour, la couvrit de son corps et entra en elle, extatique.

Lorsque Cathlyn revint à la réalité, tous les sens consumés de passion, elle était couchée tout contre lui. Épuisée mais heureuse, elle regarda Marc, qui avait les yeux fixés sur elle.

– Je t'ai attendue toute ma vie, Cathlyn. Et

maintenant que je t'ai trouvée, je ne te laisserai plus filer.

– Je n'ai aucune envie de te laisser, murmura-t-elle en enfouissant son visage au creux du cou de son compagnon.

Elle referma un bref instant les yeux, mais les rouvrit aussitôt.

– Est-il tard? demanda-t-elle en souriant.

– Presque quatre heures de l'après-midi. J'espère que tu n'avais aucun rendez-vous aujourd'hui.

– Je ne crois pas, fit-elle, tentant de rassembler ses souvenirs. De toute façon, je n'ai pas envie de partir.

– Moi non plus, murmura Marc en promenant la main sur le corps nu de sa compagne. Cela dit, je commence à avoir faim. Pas toi?

– Si, moi aussi.

– Le sport, ça creuse! plaisanta Marc. Jones a pris une semaine de vacances, mais il me laisse toujours quelque chose à manger dans ces cas-là.

Toujours nu, il se leva d'un bond et invita Cathlyn à le suivre. Celle-ci, tout à coup, se sentait un peu gênée.

– Allons-nous déjeuner dans cette tenue? demanda-t-elle.

– Nous pourrions, taquina Marc. Mais si tu veux, je peux te trouver un peignoir.

– Je préfère, répondit-elle en riant.

Un peu plus tard dans la cuisine, vêtue d'un peignoir de velours bleu marine, Cathlyn grignotait des biscuits tout en regardant Marc préparer une omelette aux champignons. La pièce, perchée sur une mezzanine circulaire, dominait tout l'appartement. La jeune femme profita de son point de vue privilégié pour passer rapidement les lieux en revue. Partout, l'ancien et le moderne se mêlaient harmonieusement. A l'évidence, Marc appréciait le bleu, le rouge sombre et les teintes subtiles du vieux bois verni.

– C'est beau, soupira-t-elle, admirative.

– Tu es belle répondit-il en la gratifiant d'un baiser.

– Tu t'es occupé toi-même de la décoration?

– Oui. J'ai rassemblé tout un tas d'objets que j'aimais, et voilà! dit-il en cassant un œuf.

– Marc, fit Cathlyn, soudain pensive, je suis un peu perturbée par... par tout ce qui nous arrive. Après avoir cru très bien connaître quelqu'un, c'est dur de s'apercevoir qu'on ne sait rien de lui.

– Mais ce n'est pas vrai, Cathlyn, tu le sais, protesta Marc en faisant danser son omelette dans la poêle. Le fait que je sois architecte et que ma famille ait beaucoup d'argent change-t-il quelque chose?

– Ce n'est pas le problème.

– Si, au contraire. Si tu l'avais su dès le début, je ne crois pas que nous en serions où nous en sommes aujourd'hui. D'accord, je reconnais que j'aurais dû te le dire un peu plus tôt, et d'ailleurs j'ai essayé, crois-le ou non. Mais j'avais tellement peur de ta réaction!

– C'est vrai, je l'aurais sans doute mal pris. Quand je suis arrivée ce matin, j'étais bien décidée à te faire part de mon mépris et de ma décision de rompre. Je n'ai pas pensé une seconde que...

Elle s'interrompit. Marc posa l'omelette fumante au centre de la table et apporta deux assiettes en porcelaine.

– Mais n'es-tu pas heureuse que les choses se soient passées ainsi? demanda-t-il.

– Peut-être.

– Peut-être? Nous venons de vivre ensemble le plus merveilleux bonheur qu'il soit donné à un homme et une femme de partager, et tu réponds « peut-être »?

– Je me suis mal exprimée, Marc. Il me faut le temps de m'habituer, voilà tout.

– Dans ce cas, nous ne bougerons pas d'ici avant que ce soit fait, décréta-t-il en lui tendant sa part d'omelette. Veux-tu servir le café?

Ils déjeunèrent en silence. Cathlyn, les yeux rêveusement posés sur la ville qui s'étalait à leurs pieds, tentait de se remémorer la folie qui s'était emparée d'elle ces dernières heures. Jamais elle n'avait senti déferler sur elle une telle passion, dont le seul souvenir lui arrachait encore des frissons. Cependant, elle avait du mal à comprendre comment elle pouvait désirer à ce point l'homme qui lui faisait face. Marc Harrison était riche et puissant, il incarnait le symbole de tout ce à quoi elle s'était si farouchement opposée toute sa vie. Force lui était d'admettre qu'il avait eu raison de lui taire la vérité. Si elle avait su dès le début qui il était, elle n'aurait probablement jamais voulu le revoir ou, du moins, elle serait constamment restée sur ses gardes.

Il avait tout fait pour que l'argent de sa famille et sa propre réputation de séducteur ne viennent pas s'immiscer entre eux. S'il avait menti, c'était uniquement afin qu'elle l'aimât pour lui-même et non pour ce qu'il représentait. Mais était-ce possible? Au fond de son cœur, Cathlyn n'en était pas sûre.

– A quoi penses-tu? demanda-t-il en lui prenant la main.

– Comment? fit-elle, brutalement arrachée à ses pensées.

– Tu as l'air songeur, je le vois dans tes yeux. C'est à cause de ce qui s'est passé?

– J'ai besoin de m'habituer, Marc. Il y a quelque temps, Jeannie m'a montré des copies de chèques que tu avais envoyés au foyer. Je crois qu'inconsciemment, je me suis empêchée de croire que c'était bien toi. Alors, j'ai eu l'idée du zoo. J'espérais qu'en voyant ton nom inscrit sur une plaque de chantier, tu te déciderais peut-être à parler.

– C'est pour ça que tu tenais tant à visiter ce zoo en long et en large? dit Marc en riant. Et la *Rive Gauche*? C'était aussi un coup monté?

– Oui, si on veut, répondit Cathlyn en baissant les yeux.

– Il me semble que toi-même, tu n'as pas toujours été parfaitement franche avec moi.

– Tu es injuste! Que pouvais-je faire d'autre?

– Tu aurais pu m'interroger.

– Tu aurais nié en bloc, dit-elle vivement.

– Certainement pas, répondit-il en lui lâchant la main. J'aurais tout fait pour t'expliquer. Je ne demandais pas mieux, d'ailleurs. Simplement, je ne savais pas comment m'y prendre.

– Marc... Y a-t-il autre chose que tu m'aies caché?

– Me prendrais-tu pour Barbe-Bleue?

– Je n'aime pas ce genre de surprises, dit-elle en lui reprenant la main. Vois-tu, Marc, le simple bon sens me recommande d'être prudente. Vous traînez derrière vous une sacrée réputation, monsieur Marc Harrison!

– C'est-à-dire?

– Tu es un riche play-boy qui raffole du pouvoir, accumule les conquêtes et ne vit que pour s'amuser.

– On dirait un réquisitoire, déclara-t-il gravement. Est-ce vraiment ce que tu penses de moi? Crois-tu que je sois comme ton père?

La question fit à Cathlyn l'effet d'un coup de poignard. Il avait réveillé en elle une profonde blessure. Était-ce à cause de la conduite de son père qu'elle associait inconsciemment la richesse à l'infidélité? Un long moment, elle chercha sur le visage de Marc une réponse qu'il ne pouvait lui donner, mais elle ne lut dans ses yeux qu'amour et confiance. En un éclair, ses craintes s'évanouirent.

– Non, Marc, murmura-t-elle en lui étreignant la main, tu n'es pas comme mon père. Tu es attentionné, généreux, charitable... Tel est en tout cas le Marc Harrison que j'ai connu jusqu'à présent.

– Rien n'a changé, Cathlyn.

– Je sais, mais...

– Laisse faire le temps, pressa-t-il. Nous sommes si bien!

– D'accord. Mais qu'il ne soit plus question de mystères et de cachotteries. Tu n'as pas le droit de me maintenir à l'écart de ta vie.

Marc se leva, contourna la table et vint l'enlacer par-derrière.

– A partir de cet instant, Cathlyn, je te ferai tout partager. C'est promis.

Ces mots soulevèrent au tréfonds de la jeune femme un frisson d'appréhension. Pourrait-elle supporter d'être à nouveau confrontée au monde qui était à l'origine de ses vieilles angoisses? Ne risquait-elle pas d'y perdre toute chance de bonheur? Ses réflexions furent alors interrompues par Marc, qui l'embrassa ardemment. Elle se plaqua contre lui et ses derniers doutes s'évanouirent. Dans leur interminable baiser, elle crut voir la promesse du bonheur inconnu qu'ils allaient partager.

Les mains de Marc glissèrent le long de ses hanches pour remonter vers ses seins palpitants tandis qu'elle-même, les doigts crispés sur l'épaule virile de son compagnon, promenait les lèvres au creux de son cou aux senteurs musquées. Ils restèrent un instant collés l'un contre l'autre, pétrifiés de désir, puis Marc s'écarta et la prit par la main.

– Viens, dit-il en l'entraînant vers l'escalier en colimaçon qui descendait sous la mezzanine.

Après avoir longé un couloir, il la fit entrer dans une immense salle de bains, dont le plafond et l'une des cloisons était entièrement recouverts par un miroir. Les autres murs, eux, étaient revêtus d'une laque de couleur pourpre. Dans un coin de la pièce, tout près d'un paravent chinois, Cathlyn aperçut une splendide coiffeuse d'ébène. Enfin, tout le centre de la salle de bains était occupé par une énorme baignoire ronde encastrée dans le sol, noire elle aussi.

– Je n'ai jamais vu une salle de bains pareille! s'exclama-t-elle, émerveillée.

– Elle n'est pas mal, rétorqua Marc en riant. Je me suis dit qu'un bain bouillonnant nous ferait du bien.

Sur ce, il ouvrit en grand les robinets de cuivre, libérant du fond de la baignoire un flot rageur d'eau fumante.

– Tu n'as pas l'intention de me faire entrer là-dedans?

– Tu adoreras ça, assura-t-il en défaisant le cordon de la robe de chambre de Cathlyn.

– As-tu de la mousse de bain? demanda-t-elle.

– De la mousse de bain? Attends une minute, répondit-il en allant fouiller dans un placard.

Pendant ce temps, Cathlyn s'était faufilée derrière le paravent. Lorsqu'elle en ressortit, la baignoire débordait de mousse neigeuse et Marc avait disparu. Complètement nue, elle mit un pied dans l'eau tourbillonnante et, rassurée, s'immergea dans la mousse jusqu'au menton. Les yeux mi-clos, elle s'abandonna à l'exquise volupté de l'instant.

Marc rentra bientôt, porteur de deux flûtes emplies de champagne. Il lui en tendit galamment une, puis se débarrassa de son peignoir et descendit avec souplesse dans la baignoire, où il disparut bientôt jusqu'aux épaules.

– A nous, proposa-t-il en levant son verre. Et au merveilleux week-end d'orgie qui nous attend!

– Et qu'est-ce qui te fait croire que je vais accepter ce toast? demanda-t-elle en minaudant.

– Si tu le refuses, dit-il d'un ton faussement menaçant, je t'ensevelis sous les bulles.

Cathlyn éclata de rire et but une gorgée de champagne avant de reposer son verre au bord de la baignoire.

– Prends garde à toi, dit-elle en soufflant dans la mousse en direction de Marc, qui se baissa pour éviter un floconneux projectile.

– Attends un peu!

Il saisit une pleine poignée de mousse qu'il écrasa sur la chevelure de la jeune femme. Dans leur lutte, ils soulevèrent de violents remous qui agitèrent la baignoire comme une tempête tropicale. Enfin, Marc parvint à maîtriser Cathlyn et se plaqua contre elle. Les vagues retombèrent peu à peu tandis qu'il l'embrassait éperdument en promenant sa main sur les courbes voluptueuses de ses cuisses.

– Cathlyn, souffla-t-il d'une voix sourde. Je te veux...

– Marc..., gémit-elle, offerte, en s'arc-boutant au bord de la baignoire.

Elle retint son souffle, les yeux mi-clos, pendant que Marc plongeait impétueusement en elle avec un râle de désir. Leurs deux corps qui ne faisaient plus qu'un se mirent à onduler dans l'eau frémissante au rythme éternel de l'amour. Au-dessus de Cathlyn, le miroir du plafond semblait réfléchir l'image flamboyante d'un feu d'artifice. Puis tout se brouilla dans son esprit, envahi d'un plaisir d'une indicible beauté. Lorsqu'en un cri étouffé elle parvint avec Marc aux berges de l'extase, elle se laissa retomber contre lui, bercée par le doux clapotis de l'eau chaude qui caressait sa peau, et poussa un léger soupir avant de fermer les paupières.

– Je ne peux pas imaginer la vie sans toi, lui glissa Marc à l'oreille. Tu es la femme la plus belle et la plus passionnée que j'aie jamais rencontrée. C'est avec toi que je veux bâtir mon avenir, Cathlyn.

– Je t'aime, Marc..., dit-elle timidement.

– Ce qui est passé est passé, dit Marc en décelant dans ses yeux une lueur d'hésitation. Il faut l'oublier.

– J'essaierai, promit-elle dans un soupir.

7

AU fil des semaines, le printemps céda la place aux feux torrides du soleil d'été, réfléchi par les parois de verre des gratte-ciel qui encerclaient la ville, puis absorbé par le bitume en fusion qui exhalait en vagues invisibles une accablante chaleur. Chaque après-midi, lorsque Cathlyn traversait la rue pour rejoindre sa voiture, les fins talons de ses escarpins s'enfonçaient dans l'asphalte gluant.

– A ce train-là, je n'aurai bientôt plus une paire de chaussures à me mettre, se plaignit-elle à Marc un après-midi, dans la fraîcheur de son petit appartement, en levant son verre de vin blanc.

Ils se voyaient ou s'appelaient à présent presque tous les jours. Le vendredi, c'était devenu leur rituel, ils se retrouvaient pour prendre un verre, chez elle ou chez lui, avant d'aller dîner au restaurant.

– Il fait une chaleur d'étuve, admit-il. Je pensais t'emmener voir un match de football demain, mais je ne sais pas si ça vaut la peine.

– A moins que la température ne baisse de dix degrés, je ne veux même pas en entendre parler.

La semaine précédente, ils avaient assisté à un

superbe concert de musique de chambre, puis s'étaient rendus à une soirée de gala qui représentait pour Cathlyn sa première incursion dans le monde clinquant et doré de Marc. Depuis son enfance, elle avait toujours détesté le faste des grandes réceptions. Mais sous l'aile protectrice de Marc, qui ne l'avait pas quittée une seule seconde, la soirée ne lui avait pas paru si désagréable. Tout le monde semblait y connaître Marc et souhaiter lui serrer la main. Plusieurs de ses amis avaient aussitôt conquis la sympathie de Cathlyn. Bref, elle fut bien forcée d'admettre qu'elle s'était bien amusée, bien plus en tout cas que le jour où Marc, en souvenir du passé, l'avait invitée au *Rive Gauche*. Pendant le déjeuner, ils furent interrompus quatre fois par de vagues connaissances. Quelle différence avec leur pique-nique au bord du lac!

Marc vida son verre, puis se leva d'un bond.

– Assez tergiversé, déclara-t-il. Je sais exactement ce que nous allons faire. Prends ton bikini et suis-moi.

– Marc, je n'ai aucune envie de nager!

– Nous n'allons pas nager, corrigea Marc. Nous allons naviguer. En nous dépêchant, nous pourrons rejoindre mon frère et sa femme au port de Belmont avant qu'ils ne lèvent l'ancre. Ils partent tous les vendredis soirs.

– Faire du bateau? Formidable! s'écria Cathlyn, les yeux luisants d'enthousiasme, en filant se changer dans sa chambre. Mais crois-tu que nous puissions débarquer comme ça sans prévenir?

– Aucun problème, répondit Marc, resté au salon. Dépêche-toi.

– J'arrive, lança-t-elle en passant à la hâte un bermuda par-dessus son bikini.

– Tu n'as jamais vu la femme d'Andy, n'est-ce pas? lui demanda-t-il lorsqu'elle revint au salon.

– Non, fit Cathlyn, intriguée. A quoi ressemble-t-elle?

– Liz? Oh... Elle est ma foi séduisante, je dirais même jolie... Pour Andy, c'est la femme idéale. Ça fait des semaines qu'elle essaie de nous inviter à dîner. Mais jusqu'à présent, je n'ai jamais pu envisager de passer une soirée avec toi autrement qu'en tête à tête, ajouta-t-il en l'embrassant dans le cou. Si je m'y résous ce soir, c'est uniquement à cause de cette fichue chaleur!

Une demi-heure plus tard, ils garaient leur voiture sur le parking du port.

– Je n'ai plus fait de voile depuis des lustres, avoua Cathlyn, mains dans les poches de son bermuda, en s'avançant avec Marc vers les quais. De quel genre de bateau s'agit-il?

– C'est un monocoque de douze mètres. Nous avons souvent participé à des compétitions, mais cette année, la société est trop débordée de travail.

– Dans le temps, nous avions nous aussi un bateau, fit Cathlyn avec un sourire. Cela dit, je n'ai jamais été un très bon marin.

– Du moment que tu tiens sur tes jambes et que tu as l'estomac solide, tout ira bien. Pour le reste, fais-nous confiance.

– Tu m'as l'air bien sûr de toi! taquina-t-elle.

– Je suis un vieux loup de mer, répliqua-t-il en la prenant par la main.

Ils s'engagèrent sur un étroit ponton de bois bordé de yachts, de voiliers et de vedettes de toutes sortes. En ce week-end, rires et musique résonnaient sur l'eau sombre.

Cathlyn aperçut soudain Andrew Harrison à la

poupe d'un long voilier. Il s'apprêtait manifestement à mettre le moteur en marche pour la sortie du port.

– Hé! Andy! Attends-nous! lui cria Marc, pressant le pas.

Sa compagne, elle, ne parvenait guère à détacher ses yeux du bateau aux lignes agressives, qui se détachait parmi les autres embarcations comme une voiture de course sur un parking de supermarché.

– Marc! Cathlyn! lança Andy en levant le bras. Vous venez? A quelques minutes près, vous avez bien failli nous rater! Pourquoi n'avez-vous pas téléphoné au port pour me faire prévenir?

– L'idée ne m'a même pas effleuré, répondit Marc, en jetant pêle-mêle dans la cabine des serviettes et des pulls.

Il sauta souplement à bord et tendit la main à Cathlyn pour l'aider à le rejoindre. Lorsqu'elle posa le pied sur le pont, le voilier oscilla imperceptiblement.

– Marc? fit une voix de femme venue de la cabine. Si j'avais su, j'aurais acheté des huîtres et des anchois!

L'instant suivant, une femme longue et mince aux cheveux platinés émergea sur le pont. Elle portait un maillot de bain couleur lie-de-vin. Ses lourds bracelets d'or scintillaient dans le soleil couchant.

– Oh..., dit-elle en s'arrêtant, surprise. Cathlyn, je suppose? Je suis Elizabeth Harrison, mais je vous demanderai de m'appeler Liz, ajouta-t-elle en lui tendant la main.

Cathlyn lui rendit chaleureusement sa poignée de main. Liz correspondait exactement à l'image mentale qu'elle s'en était faite.

– Ravie de faire votre connaissance, répondit-elle.

– Bienvenue à bord, reprit Liz. Vous êtes ici chez vous.

– Tu devrais faire asseoir Cathlyn pendant qu'on lance la manœuvre, suggéra Marc. Faites attention à la baume en passant.

– Nous allons vous regarder faire, dit Liz en conduisant Cathlyn vers un étroit banc qui courait le long du pont. Marc m'a dit que vous étiez psychologue. Il paraît que vous travaillez pour le Foyer des anges?

– Il s'agit plutôt de bénévolat, répondit Cathlyn en s'asseyant près d'elle. Mais c'est vrai, j'y suis souvent.

– Marc dit vous y avoir accompagnée plusieurs fois.

– Oui, fit Cathlyn, méfiante. Il vient souvent avec moi.

Le moteur se mit à ronronner. A la barre, Andy dirigeait la manœuvre. Quant à Marc, il se tenait à la proue, cheveux au vent, et donnait des indications à son frère.

– J'ai bien du mal à l'imaginer en train de s'occuper d'orphelins, déclara Liz, rêveuse. Ce n'est pas tellement son style.

– Pourquoi dites-vous cela? Au contraire, il est très bien.

– C'est vrai, tout est possible, reprit Liz en riant. Marc a toujours adoré la nouveauté.

Le cœur de Cathlyn se serra. Cette femme semblait sincère et connaissait Marc depuis des années. Était-il possible qu'elle ait raison? Que Marc ne voie dans l'orphelinat qu'une nouvelle source de distraction?

Une fois le voilier sorti du port, Andy coupa le

moteur et le silence retomba sur eux, tout juste rompu par le souffle du vent et les cris épars des mouettes. Marc, tous muscles bandés, entreprit de hisser le foc. Tandis qu'il s'affairait, Cathlyn l'épiait du coin de l'œil. Quelques perles de sueur scintillèrent bientôt sur son torse couvert de duvet doré. Elle ôta ses lunettes de soleil et, croisant son regard, lui sourit. Pourtant, une foule de questions se bousculait au seuil de sa conscience. Était-il vraiment celui qu'elle croyait? N'était-elle pas en train de commettre une terrible erreur? Comment le savoir? Cependant, Liz l'arracha bientôt à ses pensées.

– Parlez-moi encore du Foyer des anges. Depuis des années, la Ligue sociale leur fournit des vêtements usagés. S'agit-il d'une fondation?

– Non, répondit Cathlyn après un bref silence, réalisant que Liz était sans doute à mille lieues de se douter des difficultés auxquelles Tom et Jeannie étaient sans cesse confrontés.

– Comment font-ils donc? s'enquit celle-ci, étonnée.

– Ils s'en tirent avec beaucoup d'amour et des dons privés. Ce n'est pas toujours facile.

– J'imagine. Ce n'est pas suffisant, il leur faudrait beaucoup plus.

Cathlyn, jugeant qu'elle ne pourrait la comprendre, ne se donna pas la peine de lui répondre et reposa les yeux sur Marc, qui s'était défait de son tee-shirt. Lorsque les voiles furent déployées, le bateau se mit à glisser sur les vagues. Courbé sous le vent, Marc rejoignit Cathlyn à l'arrière.

– N'est-ce pas formidable? lança-t-il. Le vent est idéal!

– Tu vois, intervint Liz, je te répétais depuis le

début de la saison que tu ratais quelque chose. Cathlyn, peut-être pourriez-vous nous l'amener plus souvent. Quand il n'est pas là, c'est moi qui joue les moussaillons. Si ça continue, j'aurai bientôt les paumes couvertes de corne!

– Je vois que tu n'es pas complètement désintéressée, observa Marc en s'asseyant près de Cathlyn.

– Femme, fit Andy, qui venait de les rejoindre, en enlaçant Liz, serait-il possible que tu nous serves quelque chose à boire?

– A vos ordres, capitaine, lâcha Liz en disparaissant dans la cabine après une caricature de salut militaire.

Cathlyn se rapprocha de Marc, dont la cuisse mouillée d'embruns touchait la sienne. Liz ne tarda pas à resurgir avec quatre grands verres disposés sur un plateau. Une fois servie, Cathlyn goûta avidement le cocktail aux fruits qu'elle avait préparé. Elle le trouva délicieux. Étendant les jambes, Marc l'enlaça.

Après avoir servi son mari, Liz s'assit face à eux.

– J'essayais d'obtenir de Cathlyn des renseignements sur le Foyer des anges, expliqua-t-elle aux deux hommes, mais vous nous avez distraites avec vos manœuvres. Il paraît que ses dirigeants manquent d'argent.

Cathlyn, intriguée, fronça les sourcils.

– Liz, intervint Andy d'un ton paternel, je te vois déjà venir. Tu es en train de rêver à faire de ce Foyer l'objet de ta prochaine campagne. Mais pourquoi en parler maintenant?

– Que voulez-vous dire? demanda Cathlyn.

– Liz est la présidente de la Ligue sociale de Winnetka, expliqua Andy. C'est une spécialiste de la collecte de fonds.

– Quels sont les besoins les plus urgents du foyer? interrogea Liz.

– Je peux répondre à cette question, dit Marc. Ces filles ont avant tout besoin d'une salle de jeux. Il leur faut un peu d'espace pour s'amuser.

– Elles ont aussi besoin de salles de bains supplémentaires, renchérit Cathlyn.

– C'est vrai. Elles font toujours la queue pour prendre leur douche, confirma Marc.

– Trois ou quatre salles de bains, une salle de jeux... répéta Liz en tapotant le rebord du banc de ses ongles manucurés. Ce n'est pas le bout du monde. Nous pourrions organiser une vente aux enchères, une vente de tableaux par exemple, quelque chose de spectaculaire... Dites-moi, monsieur l'architecte, à quel montant estimez-vous l'investissement nécessaire?

Marc regarda un instant sa belle-sœur dans les yeux.

– Il faudra compter dans les cent mille dollars. S'il reste quelque chose, nous ferons un peu de décoration.

Le regard de Cathlyn glissa de Liz à Marc. Ils parlaient de ce projet comme s'il s'agissait d'une affaire conclue.

– C'est une somme rondelette, fit Andy. Même pour la ligue.

– C'est vrai, nous ne sommes jamais allés jusque-là, admit Liz. Mais nous pouvons peut-être y arriver, surtout si un certain architecte accepte de consacrer un peu de son temps...

– Tu peux compter sur moi, interrompit Marc.

Cathlyn n'en croyait pas ses oreilles. Ils semblaient pourtant parfaitement sérieux.

– Jamais Tom et Jeannie n'auraient osé espérer une chose pareille, dit-elle. Croyez-vous vraiment pouvoir rassembler cet argent?

– Lors de la prochaine réunion de la ligue, demanda Liz, seriez-vous d'accord pour présenter ce projet, faire un discours et peut-être nous organiser une projection de diapositives?

Cathlyn hésitait. Si les mondanités de la Ligue sociale l'ennuyaient à mourir, pouvait-elle refuser de s'y plier quand le salut du Foyer des anges en dépendait?

– S'il le faut, dit-elle après avoir respiré profondément, je le ferai.

– Bravo, lui lança Marc en lui posant la main sur l'épaule.

– Remplissons nos verres, ordonna Andy, et buvons à la vente aux enchères.

– Qui aura lieu en novembre à l'hôtel *Continental*, conclut Liz, en rassemblant les verres avant de repartir vers la cabine.

Cathlyn, abasourdie, tenta en silence de rassembler ses idées, tandis que Marc et son frère discutaient déjà de l'opportunité d'acheter un nouveau voilier. La question avait été réglée en moins de cinq minutes. A première vue, Liz lui avait paru être le stéréotype de la femme du monde superficielle, mais force lui était d'admettre qu'elle l'avait mal jugée. Elle était franche, directe, spontanée. Et par-dessus tout, elle venait de s'engager à aider le foyer.

Plus tard, comme elle était allongée sur le pont, seule avec Marc, ses pensées la tourmentaient toujours.

– Marc? Crois-tu que l'idée de Liz ait une chance d'aboutir?

– Bien sûr, répondit-il en la gratifiant d'un baiser sur le nez. Liz est une virtuose de la collecte de fonds. J'aurais dû penser à elle plus tôt. Vous m'avez l'air de bien vous entendre, toutes les deux.

– Je m'attendais à ce qu'elle soit très différente.

– C'est-à-dire?

– Je ne sais pas.

Artificielle? Insouciante? songea-t-elle. Et après tout, pourquoi? De telles généralisations ne menaient à rien, elle aurait dû le savoir. N'était-ce pas plutôt en elle-même qu'elle devait rechercher l'origine de ses préjugés envers les riches?

Le soleil rougeoyant s'apprêtait à basculer sous l'horizon. Couchée sur le dos, Cathlyn contemplait le ciel où scintillaient déjà les premières étoiles. Marc lui prit la main sans mot dire. D'innombrables petits moutons d'écume dansaient à la crête des vagues.

– Le vent se lève, observa Marc. Nous ferions mieux de rentrer dans la cabine. La promenade te plaît?

– Bien sûr, puisque tu es avec moi...

Il se coula tout contre elle et se pencha sur elle. Bouche entrouverte, elle accueillit ses lèvres avec volupté, rendant coup pour coup aux fiévreux assauts de sa langue. Soudain, le bateau tangua violemment, s'inclina à babord et Marc se redressa d'un bond.

– Eh, Marc! cria Andy de la poupe. Il ne s'agirait pas que tu oublies tes talents de marin! Il est grand temps de rentrer au bercail, vieux! On devrait déjà être à quai depuis une bonne heure!

– Allume les feux de position! lui lança Marc avant de se retourner vers sa compagne. Veux-tu m'aider à ramener le foc?

– D'accord, dit-elle en se relevant sans lâcher le bastingage. Qu'est-ce que je dois faire?

– Donner du mou et laisser la toile descendre lentement. Je me charge de la ferler.

Elle fit comme il disait, mais rien ne se produisit. Marc vint à la rescousse, mais n'obtint pas de meilleur résultat.

– Bon sang! s'écria-t-il. Il y a quelque chose qui bloque! Andy! Où est le crochet?

Dans un claquement strident, la voile s'emplit de vent et le bateau s'inclina dangereusement.

– Accroche-toi, Cathlyn! cria Marc. Ça va secouer!

La jeune femme s'agenouilla et empoigna une corde à deux mains pour éviter d'être projetée par-dessus bord. Elle n'avait pas très peur, car les deux hommes semblaient connaître exactement la marche à suivre. Marc, au moyen d'un long crochet, tentait de décoincer le foc récalcitrant. Le bateau tanguait et roulait furieusement, les vagues menaçantes venaient gifler le pont. Soudain, droit devant la proue, elle aperçut dans l'eau une longue forme noire.

– Marc! hurla-t-elle. Il y a quelque chose devant nous!

Après avoir jeté un bref coup d'œil à la proue, Marc se retourna vers son frère.

– Attention, Andy! Un tronc mort droit devant! Et un gros!

– Accrochez-vous, tout le monde!

Au même instant, Cathlyn vit la baume tournoyer autour du mât tandis que le voilier se cabrait quasiment à la verticale sur les flots. Désespérément agrippée à sa corde, elle s'aplatit sur le pont. Un cri étouffé lui parvint. Levant les yeux, impuissante, elle vit Marc basculer par-

dessus la rambarde et disparaître dans les vagues en furie.
– Marc! hurla-t-elle, rampant vers le bord. Marc! Où es-tu?
Le voilier bondissait toujours sur la surface déchaînée. Chaque seconde qui passait les éloignait du disparu, Cathlyn en était cruellement consciente.
– Marc! cria Andy à son tour. Le voyez-vous, Cathlyn?
Celle-ci fouilla frénétiquement l'onde du regard. Elle était noire, hostile, et désespérément vide.
– Non! Non, je ne le vois pas! Il faut faire demi-tour!
A l'arrière, elle aperçut entre deux secousses Andy qui s'efforçait de manœuvrer l'embarcation. Cathlyn sentait la panique s'emparer d'elle. Et si Marc s'était cogné la tête? Et s'il n'avait pas refait surface? Et si Andy ne parvenait pas à revenir à temps? Tout à coup, il lui sembla apercevoir une minuscule tache un peu plus claire au cœur des ténèbres liquides.
Était-ce Marc? L'instant suivant, la tache avait disparu.
– Marc! Marc, réponds-moi! implora-t-elle en se penchant par-dessus la rambarde. Où es-tu?
C'était maintenant ou jamais.
– Cathlyn! Non! entendit-elle Andy hurler lorsqu'elle se jeta d'un bond dans la tourmente glacée.
Dès que l'eau se fut refermée sur elle, elle se débattit à toutes forces pour n'être pas avalée par les profondeurs. Après un temps qui lui sembla infini, elle parvint à hisser la tête à l'air libre, mais une nouvelle vague la submergea de

nouveau. Avec l'énergie du désespoir, elle lutta pour regagner la surface et s'y maintenir.

Lorsqu'elle y fut parvenue et qu'elle eut quelque peu repris son souffle, elle tourna la tête de tous côtés dans l'espoir d'apercevoir son compagnon disparu. Elle l'appela plusieurs fois, mais sa voix se perdit dans le rugissement des vagues. Plus loin, elle entendit gronder le moteur du voilier. Andy s'approchait.

Ce ne fut qu'en sentant son bras vigoureux se refermer sur elle qu'elle sut qu'il était là. Elle ne l'avait ni vu ni entendu approcher. Ses lèvres bleuies par le froid laissèrent échapper une prière reconnaissante, et elle se laissa aller un instant contre lui, immensément rassurée. Cependant, sa joie fut de courte durée. En se retournant, elle lut dans ses yeux émeraude une indicible colère.

– Cathlyn! Qu'est-ce que tu fiches ici? Tu es cinglée?

– Je voulais te sauver! cria-t-elle d'une voix étranglée.

– Bon sang! rugit-il. Tu aurais pu te tuer!

– Et toi? répliqua-t-elle, claquant des dents. Je n'allais tout de même pas te laisser couler sans rien faire!

– Il est plus facile de repêcher une personne que d'en repêcher deux, marmonna-t-il tout en la maintenant à la surface.

– Marc! Cathlyn! appelèrent ensemble Andy et Liz.

– Par ici! Par ici! hurla Marc en agitant un bras.

Quelques instants plus tard, Andy parvint à immobiliser le voilier à leur hauteur et leur lança une bouée. Marc la saisit au vol et la tendit à Cathlyn.

– Ne la lâche pas! ordonna-t-il sans la moindre amabilité, tout en s'accrochant lui-même aux épaules de la jeune femme. Nous sommes prêts, Andy! Tu peux tirer!

Ballottés par les vagues perfides, ils se laissèrent hâler jusqu'au flanc du voilier. Marc tendit le bras pour attraper l'échelle de corde que son frère avait déroulée.

– Vous y arriverez? s'inquiéta Andy en voyant Marc guider Cathlyn vers le bas de l'échelle.

– Sans problème, répondit Cathlyn d'une voix chevrotante, en entreprenant son incertaine escalade.

Lorsqu'elle fut enfin parvenue à bord, il la rejoignit en quelques coups de reins.

– A un moment donné, j'ai bien cru qu'on ne vous retrouverait pas, s'exclama Andy en tendant à chacun des rescapés une serviette de bain, avant d'étreindre son frère.

– Pas de chance, rétorqua celui-ci en lui administrant une solide claque sur l'épaule.

– Vous avez l'air complètement gelés! s'écria Liz. Allez vite vous sécher dans la cabine! Vous trouverez des vêtements propres dans les tiroirs.

– Ne t'inquiète pas, Marc, approuva Andy, plus ému qu'il ne l'aurait souhaité. Liz et moi, on se charge de vous ramener à bon port.

– Parfait, dit Marc en conduisant sa compagne vers la minuscule cabine où s'étiraient quatre étroites couchettes.

Après l'avoir allongée, il la débarrassa de son bermuda et de son bikini trempés ct entreprit de frotter vigoureusement son corps pâle au moyen de la serviette. Peu à peu, Cathlyn sentit d'agréables sensations irradier ses membres transis auxquelles, fermant les yeux, elle se laissa langoureusement aller. Il lui fallut ainsi plusieurs minutes pour s'apercevoir que Marc n'avait pas même pris le temps d'ôter son short dégoulinant.

– Et toi? dit-elle. Tu dois mourir de froid!

– Rien de tel que de masser ce joli corps pour me réchauffer, répondit-il, malicieux, en glissant sa main sous la serviette.

– Marc! Tes doigts sont glacés! s'écria-t-elle en se redressant d'un coup de rein.

– Je vois que tu reviens à la vie, remarqua Marc en lui drapant les épaules d'une serviette. Voyons si nous pouvons mettre la main sur les vêtements dont parlait Liz.

Après s'être rapidement essuyé lui-même, il fouilla dans les gros tiroirs aménagés au-dessus des couchettes et finit par en extirper deux survêtements, l'un rose et gris, l'autre grenat. Après avoir jeté le premier à Cathlyn, il enfila l'autre. Quand tous deux furent prêts, il la prit dans ses bras.

– Ne refais plus jamais une chose pareille, ordonna-t-il en l'embrassant dans le cou.

– Je ne voulais pas que tu te noies, protesta-t-elle.

– Et c'est pour ça que tu t'es jetée à l'eau? Quelle logique!

– Qu'aurais-tu fait à ma place? Si j'étais passée par-dessus bord? demanda-t-elle en levant sur lui ses yeux turquoise.

Troublé, Marc la contempla sans mot dire. Il comprenait à présent que seul l'amour qu'elle éprouvait pour lui avait pu la pousser à commettre pareille folie. Il la serra contre lui.

– Cathlyn, tu es incroyable...

– Je suis surtout gelée, dit-elle d'une toute petite voix.

– Ne t'en fais pas, je m'occuperai de toi dès notre retour à l'appartement, souffla-t-il en promenant la main sur les reins de sa compagne.

– Mmm... Vivement qu'on arrive.

Le cauchemar était terminé.

8

– AH... Atchoum!

Après s'être mouchée, Cathlyn considéra Marc qui était assis au bord du lit.

– Surtout, ne t'approche pas, ordonna-t-elle.

– Ce n'est pas ce que tu disais cette nuit, lui rappela-t-il.

– Je ne savais pas que j'avais attrapé ce maudit rhume. Maintenant, je le sais. Et je ne veux pas te contaminer.

– Je ne m'enrhume jamais, affirma Marc en lui déposant un baiser dans le cou. Ça ne m'est pas arrivé une seule fois depuis mes dix ans.

– Marc, arrête de m'embrasser! protesta-t-elle en se débattant sous les couvertures. Tu vas finir par l'attraper.

– Je reste à bonne distance de ta bouche, murmura-t-il en lui mordillant le lobe de l'oreille.

Cathlyn réussit enfin à le repousser et lui tendit un flacon de vitamine C.

– Prends ça au cas où...

– Au cas où quoi? fit Marc en jetant un œil soupçonneux sur les blancs comprimés.

– Au cas où quelque méchant virus se serait glissé dans ton organisme. Maintenant, file. Et ne t'avise pas de revenir avant que je ne sois tout à fait rétablie.

– Jamais tu ne pourras t'en tirer sans mon aide, objecta Marc. D'ailleurs, si je ne m'étais pas occupé de toi hier soir, ce n'est pas un simple rhume que tu aurais maintenant, mais sûrement une bonne pneumonie.

– Va-t'en.

– Ces pilules ne servent à rien. Ce qu'il te faut, c'est une soupe au poulet.

– C'est ça, soupira Cathlyn, yeux clos, en se retournant dans son lit.

– Dors bien, chérie, murmura Marc en lui embrassant la joue. Je m'occupe de tout.

Après avoir refermé la porte de la chambre, il partit en sifflotant vers la cuisine. Il s'apprêtait à commander une soupe au poulet par téléphone au traiteur le plus proche lorsqu'il fut frappé d'une inspiration soudaine. Pourquoi ne la ferait-il pas lui-même? Ses yeux parcoururent la cuisine à la recherche d'un livre de recettes, mais en vain. Il est vrai que Cathlyn, quand elle était seule, ne se nourrissait guère que de carottes et de fromage de ferme.

Il décrocha le téléphone et appela Jones, qui était une véritable encyclopédie culinaire. Cinq minutes plus tard, muni d'une superbe recette, Marc sortit faire ses emplettes, très satisfait de lui-même.

Quelques heures plus tard, Cathlyn ouvrit les yeux en laissant échapper un petit grognement. Elle consulta son réveil et grogna encore. Quoique cela parût impossible, elle se sentait encore plus mal qu'au matin. Après s'être mouchée, elle s'apprêtait à avaler des tablettes pour la gorge lorsque Marc fit irruption dans la chambre, un plateau dans les mains.

– Je croyais que tu étais parti, marmonna-t-elle, agréablement surprise.

– Bien sûr que non. Je me charge de te remettre d'aplomb, ma belle. Et je t'apporte exactement ce qu'il te faut pour ça.

Il posa le plateau sur la commode laquée de blanc et se pencha sur Cathlyn pour l'embrasser sur le front.

– Marc...

– Je sais, je sais. Allez, assieds-toi, dit-il en empilant les oreillers dans son dos.

Cathlyn jeta un coup d'œil sceptique sur le bol de porcelaine qui fumait au centre du plateau.

– Je n'ai pas faim.

– Ce n'est pas un déjeuner, corrigea Marc en soulevant le plateau. C'est le remède le plus imparable contre le rhume. Depuis la nuit des temps, toutes les mères du monde le savent.

Il posa le plateau sur les genoux de Cathlyn, il porta une première cuillerée de soupe jusqu'aux lèvres de Cathlyn, puis une autre.

– Ça fait du bien, non? s'enquit-il, enthousiaste.

– C'est délicieux, répondit-elle en lui prenant la cuiller des mains. Où as-tu trouvé ça? Je n'achète jamais de soupe en boîte.

– C'est moi qui l'ai faite, dit tranquillement Marc.

– Toi? s'écria Cathlyn, remarquant seulement le tablier de cuisinière qui lui ceignait les hanches. C'est vrai?

– Et comment! Cette soupe a été concoctée avec le meilleur poulet disponible au supermarché du coin. Cuit à la cocotte, avec un assortiment de carottes, céléris et oignons, ainsi qu'un soupçon de condiments.

Cathlyn le fixait toujours, incrédule. Arriverait-elle un jour à cerner la véritable nature de cet homme si déroutant, cet homme que d'aucuns tenaient pour un parfait play-boy et qui était pourtant capable de passer des heures au fourneau pour lui préparer une soupe compliquée? Inconsciemment, elle secoua la tête.

Pendant les deux jours suivants, tant qu'elle resta au lit, Marc ne la quitta pas un instant, acceptant seulement, quoique à contrecœur, de dormir sur le canapé pour éviter d'être contaminé à son tour par le rhume de sa compagne. Il faisait la cuisine, le ménage, il remontait ses couvertures, il la couvrait d'attentions. Toujours couchée, Cathlyn ne cessait de s'interroger sur l'évolution de leur intimité. Plus le temps passait, plus il lui paraissait inconcevable qu'il soit en réalité différent de ce qu'il était avec elle. Certes, il était sûr de lui et extraordinairement passionné lorsqu'il faisait l'amour. Mais à cela il n'y avait rien de mal, songea-t-elle en souriant.

Le deuxième soir, Cathlyn manifestait des signes certains de récupération. Marc, assis au bord du lit avec un livre, leva les yeux vers elle et la dévisagea avec attention.

– Je crois que tu t'en tireras, prédit-il.

– J'ai toujours le nez rouge, gémit-elle avec une moue.

– Beaucoup moins, répondit-il en se glissant vers elle. Même ta voix commence à reprendre allure humaine.

– Bas les pattes! Je vais peut-être mieux, mais je ne suis pas guérie.

– Presque, dit Marc en la prenant dans ses bras.

– Marc! Arrête! protesta-t-elle, tentant vainement de se débattre. Tu as été parfait jusqu'à maintenant, mais je suis peut-être encore contagieuse, et...

– Si tu veux que je reste gentil, arrête un peu de gigoter.

– Pourquoi ne vas-tu pas te rasseoir sur le fauteuil?

Marc se débarrassa de ses chaussures et s'installa sur le lit près de Cathlyn.

– Parce que ma place est ici, répondit-il nonchalamment.

– Qu'est-ce que tu fabriques?

– Tu le sais aussi bien que moi, dit-il en promenant son doigt sur les bords échancrés de la chemise de nuit de Cathlyn. D'ailleurs, je crois savoir que ça ne te déplaît pas...

Un frisson voluptueux traversa la jeune femme, qui eut envie de se jeter dans ses bras.

– Marc! Tu avais promis! s'indigna-t-elle sans conviction.

Pressé contre elle, Marc défit le nœud qui fermait sa chemise de nuit, dont les pans glissèrent d'eux-mêmes sur les flancs de Cathlyn.

– Naturellement, je ne voudrais pas que tu prennes froid, ajouta-t-il en déposant un chapelet de baisers humides sur sa peau nue.

– Aucun risque, soupira Cathlyn, le souffle court, en se lovant contre lui, lèvres offertes.

Tout en l'embrassant, il explora avidement de la paume les délicieuses rondeurs de la jeune femme, éveillant au tréfonds d'elle-même mille sensations charmantes. Pendant ce temps, elle ouvrait un à un les boutons de la chemise de son compagnon, impatiente de dénuder son corps puissant.

– Voilà qui me plaît, fit-il en se laissant retomber sur les oreillers tandis qu'elle le débarrassait de son pantalon. Tu me rends fou, Cathlyn.

Après avoir ôté sa chemise de nuit, folle de désir, elle enjamba Marc et descendit langoureusement sur lui, qui poussa un gémissement de plaisir. Fondus l'un dans l'autre, leurs deux corps partirent en souples mouvements vers les sommets de l'extase.

Lorsqu'elle rouvrit les yeux, elle avait perdu toute notion du temps. Avait-elle dormi? Elle n'aurait su le dire. Paupières closes, tête reposée sur l'oreiller, Marc somnolait paisiblement, toujours à moitié sous elle. Comme elle l'aimait! Que se serait-il passé si, l'avant-veille, elle l'avait perdu pour toujours dans les eaux noires du lac? A cette pensée, elle frissonna.

Roulant sur le côté, elle se coucha près de lui et rabattit sur leurs deux corps les couvertures en désordre. Demain, il lui faudrait de nouveau affronter le monde. Ce soir encore, lui seul existait. Elle ferma les yeux.

Lorsque Marc lui téléphona le lendemain après-midi, elle crut par deux fois l'entendre renifler.

– Prends de la vitamine C, l'avertit-elle.

– Pas question. Tu te fais du souci pour rien.

Le jour suivant, Cathlyn s'étonna vaguement de son silence, mais elle était tellement surchargée de travail qu'elle n'eut pas le temps de l'appeler pendant la journée. Ce soir-là, après avoir mangé seule une omelette aux champignons qui était loin de valoir celles de Marc, elle décrocha le téléphone et composa son numéro.

– M. Harrison m'a chargé de dire qu'il est extrêmement occupé et ne peut être dérangé, répondit froidement Jones.

Cathlyn hésita. Marc, elle le savait, travaillait à la conception d'un centre commercial. Sans doute avait-il pris du retard pendant qu'il s'occupait d'elle. Cependant, la curiosité finit par l'emporter.

– Ces consignes sont-elles aussi valables pour moi?

– Oui, mademoiselle, confirma Jones, imperturbable. M. Harrison ne veut être dérangé sous aucun prétexte.

– Vous a-t-il déjà laissé des instructions semblables?

– Pas à ma connaissance, mademoiselle.

– Jones, insista-t-elle patiemment, dites-moi la vérité. Je sais bien que vous ne faites que suivre les ordres de Marc. Toutefois, j'aimerais en avoir le cœur net : est-ce que par hasard M. Harrison ne serait pas au lit avec un rhume épouvantable?

Il y eut un silence.

– Eh bien, mademoiselle, je...

– C'est bien ce que je pensais. J'imagine que vous lui avez déjà préparé une soupe au poulet.

– Naturellement.

– Parfait. Dites à M. Harrison que j'arrive. Non, à la réflexion, ne lui dites rien du tout. C'est plus simple.

Pendant toute une semaine, Cathlyn resta au chevet de Marc, veillant à l'approvisionner en mouchoirs en papier et en vitamine C, pendant que Jones se chargeait des soupes au poulet.

– Jamais je n'ai vu personne autant affaibli par un simple rhume, lui dit-elle le troisième jour. J'espère pour toi que tu ne tombes pas souvent malade.

– Je n'attrape jamais de rhume, grommela Marc. Et je ne suis pas affaibli.

– Comme tu veux. En tout cas, si tu avais gardé tes distances pendant qu'il était encore temps...

Marc poussa un grognement qui l'interrompit.

Entre ses fréquentes visites à Marc, Cathlyn avait repris ses consultations et les recherches statistiques qu'elle menait en vue d'une étude sur l'influence des animaux familiers dans la cure de la dépression chez les personnes âgées. Aussitôt qu'il eut regagné quelques forces, Marc se remit à dessiner les plans de son centre commercial. Pendant quelque temps, ils se virent beaucoup moins qu'ils ne l'auraient souhaité. Pour ajouter aux soucis de Cathlyn, Liz lui téléphona pour lui rappeler sa promesse de faire un discours sur le Foyer des anges à la prochaine réunion de la Ligue sociale. Elle avait espéré que Marc l'aiderait à préparer son intervention, mais le maximum qu'il put faire fut de lui présenter un photographe de presse qui s'occuperait de la projection de diapositives.

Malgré toutes ses difficultés, son discours fut si bien accueilli qu'au cours des semaines qui suivirent la réunion, Liz l'appela à plusieurs reprises pour la supplier de participer à la publicité destinée à annoncer la vente aux enchères.

– Si tu n'étais pas si compétente, elle ne se donnerait pas la peine de t'appeler, lui dit Marc un après-midi où ils avaient pu se retrouver quelques heures pour chevaucher dans la campagne.

– Je tiens absolument à ce que la vente soit un succès, Marc, se défendit Cathlyn, perchée sur sa monture qui piétinait les feuilles rousses de l'automne. Les filles sont folles de joie. Quant à Tom et Jeannie, ils ne tiennent plus en place! Je ne pourrai plus les regarder en face si nous échouons. Quand ce sera terminé, nous pourrons nous voir plus souvent.

– Vous n'échouerez pas. Liz connaît les gens qu'il faut.

En son for intérieur, Cathlyn espérait qu'il ne se trompait pas. Après toutes les réunions auxquelles elle avait participé, elle avait découvert à sa grande surprise que nombre des amies de Liz lui étaient sympathiques. Et surtout, elle avait été impressionnée par le dévouement de tous les instants avec lequel elles semblaient s'impliquer dans leur projet de vente aux enchères. Lorsqu'elles l'interrogeaient sur le foyer, Cathlyn sentait dans leur voix, dans leur expression, un réel intérêt pour les orphelines qu'il abritait, et une sincère admiration envers Jeannie et Tom.

Force lui était donc d'admettre qu'elle commençait à accepter ce monde qu'elle avait si longtemps fui, même si elle se refusait catégoriquement à y entrer à son tour. Marc comprendrait-il ses réticences? Comment réagiraient ses parents? Ils passaient l'automne en Europe, mais, sur l'insistance de Liz, avaient accepté de rentrer à temps pour la vente aux enchères qui, à plus d'un titre, promettait décidément d'être un jour mémorable.

Quelques jours avant la vente, un samedi matin, Jeannie vint frapper chez Cathlyn. Toute à l'événement, elle ne cherchait plus à dissimuler son impatience.

– La première fois que tu m'as parlé de ce projet, dit-elle en sortant deux croissants d'un sac en papier, j'ai cru que tu devenais folle. Mais maintenant, avec tous ces gens qui défilent au foyer, je me demande si ce n'est pas moi qui perds la boule!

– Rassure-toi. J'ai passé assez de soirées à plancher sur ce projet pour savoir qu'il est bien réel.

Ces temps-ci, j'ai à peine eu le temps de voir Marc.

– Envisagez-vous ensemble quelque chose de définitif?

– Tu veux dire... nous marier?

Jeannie hocha la tête.

– Nous n'en avons pas tellement parlé, même si l'idée nous a quelquefois effleurés. A vrai dire, je ne suis pas sûre d'être prête.

Son amie poussa un soupir.

– Hier, j'ai passé vingt bonnes minutes à expliquer à une dame à voilette que le papier de soie n'était pas l'idéal dans une salle de bains où douze filles prendront leur douche tous les jours, dit-elle. Ces dames de la haute sont vraiment bizarres. Crois-tu que tu seras à l'aise parmi elles?

– Je ne sais pas, mais j'ai été très touchée par le dévouement dont elles ont toutes fait preuve envers le foyer. J'avoue que je ne m'attendais pas à ça.

– C'est vrai, admit Jeannie. Je plaisante, mais il est vrai que nous n'existerions pas sans leur générosité.

– Oui. Ma mère participait à des œuvres charitables, mais je ne l'ai jamais prise au sérieux à cause de ses belles robes. Tout cela me paraissait être une mascarade. Aujourd'hui, j'ai changé d'avis. Chacun peut aider les autres à sa manière.

– Tu es perspicace, observa Jeannie.

– C'est mon métier.

– Il est toujours plus facile de voir clair dans les problèmes des autres. Et pour ce qui est de toi et Marc... L'aimes-tu, Cathlyn?

A cette question, Cathlyn ne put s'empêcher de sourire.

– Tu n'es pas obligée de répondre, reprit aussitôt Jeannie. C'est écrit sur ta figure. Mais si tu l'aimes, tu dois lui faire confiance, et vos problèmes se résoudront d'eux-mêmes.

– Tu as peut-être raison, lâcha Cathlyn, à demi convaincue.

9

LE jour de la vente aux enchères, tandis que Cathlyn pianotait sur le clavier de l'ordinateur installé à son cabinet, la tête de Shirley apparut à la porte entrouverte.

– Vous n'avez pas vu clignoter le voyant lumineux, docteur? Vous avez un appel. C'est une des pensionnaires du foyer.

– Dites-lui que je la rappellerai demain.

– Elle dit que c'est extrêmement urgent.

Cathlyn poussa un soupir et décrocha son téléphone.

– Cathlyn? fit une voix frémissante à l'autre bout du fil. C'est moi, Lisa. Écoute, j'ai un gros problème.

– Où es-tu, Lisa? Est-ce que ça va?

– Je t'appelle du bar où...

– D'un bar? s'écria Cathlyn, en se raidissant. Les bars te sont interdits, Lisa. Tu n'as que quinze ans!

– C'est à cause d'un type de l'école, Cathlyn. Son frère lui avait parlé d'une adresse où on pouvait récupérer un piano gratuit... Alors, j'ai pensé que ce serait vraiment sympa d'avoir un piano pour la nouvelle salle de jeux du foyer.

– Un piano?

– Il est vraiment chouette. Son propriétaire est d'accord pour nous le donner, mais j'ai besoin de l'autorisation d'un adulte. Je n'ai pas voulu appeler Jeannie pour ne pas gâcher la surprise. Alors, j'ai pensé à toi.

– Magnifique... Et pourrais-tu m'expliquer comment tu comptes transporter ce piano jusqu'au foyer?

– Eh bien, je... Ce n'est pas un problème, puisqu'il a des roulettes. J'ai ton autorisation?

– Du calme, Lisa. Je comprends ton impatience, mais il vaudrait mieux nous donner le temps de prospecter un peu plus avant de...

– Cathlyn, s'il te plaît, implora Lisa, viens! Je te jure qu'on ne retrouvera jamais un piano comme celui-ci!

– Venir? Quand? Maintenant?

– Le propriétaire dit que c'est maintenant ou jamais. Sinon, il le fait embarquer par les encombrants. S'il te plaît, Cathlyn!

Cathlyn poussa les épaules, regarda sa montre et pesa le pour et le contre.

– D'accord, Lisa. Donne-moi l'adresse exacte, et je te rejoins dès que possible.

Aussitôt après avoir raccroché, la jeune femme reprit le téléphone pour appeler Marc, dans l'espoir qu'il connaîtrait un moyen à la fois rapide, simple, sûr et peu cher de transporter un piano. Hélas, il n'était pas à son bureau, et Cathlyn dut se contenter de lui laisser un message. Il faudrait donc essayer de convaincre le propriétaire de ce piano de patienter jusqu'à lundi. Poussant un nouveau soupir, elle appela Shirley.

– Il faut que je sorte, expliqua-t-elle lorsque sa secrétaire fut venue. Je ne serai pas là de l'après-midi.

– A ce train-là, vous n'arriverez jamais à charger ces dossiers dans l'ordinateur. Vous allez préparer la vente aux enchères?

– Non. J'ai rendez-vous avec un piano de bastringue, répondit Cathlyn en boutonnant son manteau gris.

Après s'être enroulé une écharpe rouge autour du cou, elle considéra ses escarpins de cuir noir, puis laissa glisser ses yeux sur la paire de tennis rose bonbon de Shirley.

– Vous avez toujours des cors aux pieds? interrogea-t-elle soudain.

– Comment? Oh... Ça va beaucoup mieux depuis que je porte ces chaussures sur les conseils du médecin.

– J'aimerais vous les emprunter pour quelques heures, Shirley. J'en ai vraiment besoin.

– Mes tennis? Si vous voulez, mais...

Elle se tut pour défaire les lacets.

Cathlyn, enfin prête, avait la main sur la poignée de la porte lorsqu'elle se retourna encore une fois vers Shirley.

– Une dernière chose... Si Marc appelle, dites-lui de venir à cette adresse. J'ai besoin de lui pour déménager un piano, ordonna-t-elle en tendant un bout de papier à la secrétaire.

Cathlyn parvint à se garer juste devant le bar indiqué par Lisa, situé dans un quartier désert et miteux. Le vent de novembre soulevait des papiers gras tourbillonnants sur le macadam. Quelle différence avec l'élégant hôtel où, d'ici quelques heures, elle échangerait des plaisanteries avec la fine fleur de la bonne société de Chicago! Avant d'entrer dans l'établissement, elle vérifia que ses portières étaient bien verrouillées, puis frappa énergiquement à la porte vitrée, qui était fermée à clé.

– Lisa? Tu es là? Réponds!

Elle commençait à s'inquiéter quand la porte s'ouvrit enfin sur l'adolescente, qui se jeta dans ses bras.

– Vous avez le camion? grommela derrière elles une voix mâle.

Levant les yeux, Cathlyn aperçut un homme trapu, qui portait un tablier crasseux par-dessus son tee-shirt et son jean.

– Un camion? Et où voulez-vous que je trouve un camion?

– C'est votre problème, ma petite dame. Tout ce que je demande, moi, c'est que vous me débarrassiez de ce piano.

– Viens le voir, intervint Lisa, l'œil luisant d'émotion. Tu vas l'adorer, j'en suis sûre!

Cathlyn la suivit parmi un dédale de cartons, de tables et de chaises empilées jusqu'à l'arrière-salle baignée de pénombre, où flottait une vilaine odeur de bière et de sueur. L'homme au tablier les avait suivies. Lorsqu'il alluma la lumière, Cathlyn poussa un petit cri.

– Mon Dieu! s'exclama-t-elle. Mais il... il est violet!

– Il est magnifique, n'est-ce pas? fit Lisa en promenant ses doigts sur les touches jaunies.

Cathlyn, fascinée, fit un pas vers l'affreux piano. Elle n'était pas certaine d'avoir jamais vu quelque chose d'aussi laid.

– Vous faites une sacrée affaire, dit l'homme en tapotant affectueusement le monstre. Si c'était pas pour des orphelins, j'en aurais demandé un bon prix. Si vous voulez, vous pourrez toujours repasser une couche de peinture sur les motifs latéraux.

– Les motifs ? répéta Cathlyn en contournant le piano.

Ce fut seulement alors qu'elle aperçut les filles nues, presque grandeur nature, qu'un artiste débutant avait sans doute peintes sur les côtés du piano pour quelques doses de gin.

– Ne t'en fais pas, lança Lisa, ça ne restera pas comme ça. On leur peindra des vêtements.

– Vous avez de la chance, marmonna l'homme. Si j'avais pas été obligé de m'en débarrasser dès aujourd'hui, j'aurais sûrement pu en tirer cinq ou six cents dollars.

– Comment ? demanda Cathlyn, qui s'efforçait de rester calme. Vous voulez dire que nous devons l'emporter dès ce soir ? Ça ne peut pas attendre lundi ?

– Pas question. Je déménage aujourd'hui même, j'en ai marre de ce trou. Vous avez cinq minutes, dit-il en tournant les talons.

– C'est impossible, Lisa, dit Cathlyn. Nous n'avons aucun moyen de le transporter.

– Cathlyn, s'il te plaît ! supplia l'adolescente. On pourrait peut-être déjà le sortir sur le trottoir ! Une fois dehors, on trouvera bien un moyen ! Jamais on ne retrouvera une telle aubaine !

– Je n'en doute pas, maugréa Cathlyn, sans une once d'enthousiasme.

Elle regretta de n'avoir pu joindre Marc à son bureau. Peut-être aurait-il trouvé une solution à leur problème. Elle en était à ce stade de ses pensées lorsque Lisa, qui s'était assise au piano, joua une mélodie ancienne, qui rappelait vaguement quelque chose à Cathlyn, d'abord très doucement, puis avec une série de crescendos si poignants qu'ils réalisèrent même l'exploit de ramener le bougon cafetier dans l'arrière-salle.

Quand le silence se fut refermé sur la dernière note du morceau, Lisa leva sur Cathlyn un regard suppliant. Celle-ci, vaincue, secoua la tête.

– Eh bien, dit-elle, ne reste pas assise sans rien faire. Mets-toi de ce côté et pousse avec moi.

– D'accord! s'écria Lisa en se levant d'un bond.

Au prix de laborieux efforts, tandis que le barman écartait devant elles les tables de la salle, elles parvinrent à sortir le piano sur le trottoir. Aussitôt, la porte se referma derrière les deux amies. Elles étaient seules.

– Et maintenant? s'enquit Lisa.

– Nous n'avons pas le choix, déclara Cathlyn. Après tout, le foyer n'est pas si loin d'ici. On va le pousser jusque là-bas.

Elles s'arc-boutèrent de part et d'autre du piano et se mirent en branle sur le trottoir, sous l'œil incrédule d'une vieille dame qui secoua la tête en les croisant. Celle-ci mise à part, pourtant, les rares passants ne leur prêtèrent pas la moindre attention.

– Quelqu'un pourrait quand même nous proposer de l'aide, observa Lisa. Ce ne serait pas de trop.

– N'y compte pas, lâcha Cathlyn, désabusée. C'est ce qu'on appelle l'anonymat des grandes villes. Ils ne nous voient même pas.

– Ça ne va pas être facile de traverser la rue, dit Lisa comme elles approchaient d'un carrefour.

Arrivées au croisement, elles mirent cinq bonnes minutes à faire descendre le piano sur la chaussée où les voitures passaient à vive allure dans la descente. Tandis que Lisa restait auprès de l'instrument, Cathlyn s'aventura comme elle put jusqu'au milieu de la voie et se mit à agiter les bras en tous sens. Miraculeusement, elle parvint à interrompre le trafic et fit signe à sa jeune amie d'avancer le piano, mission facilitée par la pente de la rue. Lorsque l'étrange objet se fut mis en branle sur l'asphalte, Cathlyn courut rejoindre Lisa pour l'aider. Docile, le piano roulait sans rechigner, allant même jusqu'à prendre un peu de vitesse. Parvenue au milieu de la rue, Cathlyn réalisa soudain avec effroi qu'elles ne contrôlaient plus sa progression. Cessant de pousser, elle tenta désespérément de le retenir, mais il était déjà trop tard.

– Non! hurla-t-elle en courant après le piano violet qui dévalait maintenant la pente au milieu d'un concert de klaxons. Rattrapez ce piano! Rattrapez-le! cria-t-elle à qui voulait l'entendre.

Au carrefour, le trafic était entièrement paralysé. Ébahis, les chauffeurs sortaient la tête de leur voiture pour observer les deux femmes échevelées qui couraient derrière un piano violet en poussant des cris stridents.

– Essayons de l'attraper chacune d'un côté! lança Cathlyn à Lisa, qui s'essoufflait derrière elle, zigzaguant entre les voitures arrêtées.

Le piano prenait de plus en plus de vitesse. Soudain, à quelques mètres en contrebas, une voiture de police déboucha d'une rue transversale et s'arrêta au milieu de la rue, gyrophare en marche. Troublé par l'inexplicable embouteillage, son chauffeur en sortit et, ôtant sa casquette, se gratta pensivement la nuque.

– Dégagez! hurla Cathlyn, affolée par la perspective d'une collision de plus en plus inévitable. Monsieur l'agent!

Celui-ci, tournant la tête en tous sens, ouvrit des yeux ronds lorsqu'il vit fondre sur lui l'invraisemblable engin, mais il était bien trop tard. Cathlyn préféra détourner la tête. Un terrible fracas retentit la seconde suivante.

Lorsqu'elle eut enfin le courage de regarder de nouveau, elle put mesurer l'étendue du désastre. Le piano s'était profondément encastré dans le côté gauche de la voiture bleue et blanche. Elle inspira profondément, mit les mains dans ses poches et s'avança d'un pas lent vers le policier sidéré.

– C'est à vous, ce piano? lui demanda l'agent, un petit homme ventripotent, aussitôt qu'il eut repris ses esprits.

– Oui, monsieur l'agent, dit-elle avec un petit sourire navré. Il est à moi.

– Vous pouvez me dire ce qu'il fiche ici? gronda-t-il, écarlate.

– Eh bien, nous étions en train de le transporter, quand...

– De le transporter? Où est le camion?

– C'est justement là le problème, monsieur l'agent. Nous n'avons pas de camion.

Le policier lui jeta un regard incrédule et furieux.

– Attendez-moi une minute, ordonna-t-il. Je tiens à aller jusqu'au bout de cette affaire. Et ne vous avisez pas de filer!

Il fit le tour de la voiture, y pénétra du côté passager et décrocha sa radio.

– Puisque je te dis que c'est un piano! l'entendit-on expliquer au micro. Pas une voiture violette, Tommy! Un piano violet! Non, je n'ai pas bu! Envoie la dépanneuse. Et un panier à salade! Hein? Non, elle n'a pas l'air dangereuse. T'occupe pas, fais comme je te dis.

Quand il eut terminé, il revint lentement se planter devant Cathlyn.

– On va tout reprendre à zéro, ma bonne dame, annonça-t-il d'une voix traînante. Vous me dites que vous étiez en train de transporter ce piano – sans camion, évidemment. Ensuite, vous l'avez poussé dans la descente et il est venu percuter ma voiture de patrouille. Et vous avez fait ça toute seule?

– Non, répondit timidement Lisa. J'étais avec elle.

– Tais-toi, lui glissa Cathlyn.

– Dans ce cas, vous viendrez vous aussi au poste, rugit le policier. J'ai bien envie de vous passer les menottes avant que vous ne déclenchiez une autre catastrophe.

– Que se passe-t-il ici? On dirait qu'il y a un problème, lança Marc qui s'avançait à grands pas.

Cathlyn, se retournant vers lui, poussa un soupir de soulagement. Aussitôt parvenu à sa hauteur, il entoura ses épaules d'un bras protecteur et considéra avec étonnement le piano violet. Ses yeux s'attardèrent particulièrement sur les femmes nues qui ornaient ses côtés. Il poussa un sifflement admiratif.

– Ce piano est aussi à vous? interrogea le policier.

– J'y tiens comme à la prunelle de mes yeux, répondit-il solennellement, une lueur de gaieté dans le regard.

– Votre nom?

– Marc Harrison.

– Harrison, vous nous suivez au poste. Je vous promets que vous ne vous en tirerez pas comme ça.

Cathlyn était au désespoir. Comment allaient-ils pouvoir se tirer de ce mauvais pas? A cet instant, quelqu'un lui poussa légèrement le bras.

Tournant la tête, elle vit un jeune homme tendre un microphone sous le nez de Marc.

– Excusez-moi, monsieur. Pouvez-vous nous rappeler votre nom? demanda-t-il courtoisement. Derrière lui se tenait un caméraman de télévision.

– Hé! s'exclama Lisa. C'est l'équipe des infos locales!

– Ils ont dû apprendre ce qui se passait en se branchant sur la fréquence radio de la police, dit Cathlyn. Toi, surtout, ne dis rien.

Docile, Lisa hocha la tête sans quitter des yeux l'opérateur.

Le regard de Marc glissa du reporter au policier, puis du policier au reporter.

– Vous tombez bien, déclara-t-il avec un sourire. Vous êtes en train d'assister à un remarquable geste de charité au profit d'un orphelinat.

– Hein? lâcha le policier.

– Ce piano était en route pour le Foyer des anges, une institution qui accueille les jeunes filles abandonnées, lorsque ce... ce malencontreux incident s'est produit.

Lisa, Cathlyn et le policier l'écoutaient bouche bée. Marquant une brève pause, Marc se pencha en avant pour lire la plaque de l'agent.

– Le sergent O'Connor ici présent, reprit Marc, vient de faire montre d'une grande générosité en nous proposant non seulement de fermer les yeux sur l'accident, mais aussi de nous aider à transporter ce piano jusqu'à l'orphelinat.

Pour ponctuer son discours, il gratifia l'agent d'une grande claque dans le dos.

– Est-ce exact, sergent? demanda le reporter.

– Eh bien, euh... Je...

La caméra pivota pour se braquer sur la voiture de police.

– Mes amis, résuma le reporter, voici un nouvel exemple du dévouement de nos gardiens de la paix. Avec un peu de bonne volonté, tout est bien qui finit bien. A demain!

L'équipe de télévision s'en fut, non sans avoir attendu l'arrivée du panier à salade pour filmer le chargement du piano. Entre-temps, le trafic avait repris normalement. Lorsqu'ils furent seuls avec Lisa, Marc et Cathlyn tombèrent dans les bras l'un de l'autre.

– Tu as été fabuleux, Marc, murmura la jeune femme.

– Comment as-tu pu te mettre dans de tels draps? demanda-t-il sans desserrer son étreinte. Lorsque j'ai appelé ton cabinet, Shirley m'a dit que je ferais bien de courir te rejoindre.

– C'est une longue histoire... Il faut nous dépêcher! Nous allons être en retard à la vente!

Ils s'installèrent tous trois dans la voiture de Marc et partirent vers le foyer.

– Tu ne m'en veux pas trop? demanda Cathlyn à Marc.

– Comment pourrais-je t'en vouloir? Comme toujours, tu as suivi ton cœur. N'importe qui d'autre aurait envoyé promener Lisa sans hésiter. C'est peut-être un peu pour ça aussi que je t'aime tant. Ne change pas, Cathlyn.

En s'arrêtant devant le foyer, ils furent accueillis par une joyeuse clameur. A peine furent-ils sortis de voiture que toutes les filles se rassemblèrent sur le perron de la vaste bicoque, entourant Jeannie vêtue d'un peignoir de bain rose.

– Que se passe-t-il? leur lança-t-elle tandis qu'ils s'approchaient. Pourquoi n'êtes-vous pas en train de vous préparer? Et que fait ce panier à salade devant la maison? Ça fait dix minutes que ces policiers sont ici à attendre.

– Lisa a une surprise pour toi, répondit Cathlyn. Mais auparavant, tu ferais peut-être de t'asseoir.

Sur un signe qu'elle leur fit, les policiers ouvrirent les portes arrière du fourgon.

– Écartez-vous, les filles! lança Lisa à ses camarades.

Bientôt, le piano fut à terre.

– Qu'est-ce que...? commença Jeannie. Cathlyn! Ce piano violet! Ils... Ils n'ont pas l'intention de l'installer chez moi, n'est-ce pas?

– J'ai bien peur que si, répondit celle-ci en s'effaçant pour laisser passer le piano, que les agents eurent tôt fait de déposer dans le grand vestibule sous l'œil incrédule de Jeannie.

Les filles étaient folles de joie. A la vue des nus qui ornaient les flancs du monstre, elles poussèrent un concert de gloussements. Pendant ce temps, Marc remerciait chaleureusement les policiers, qui se retirèrent.

– N'est-il pas magnifique? s'extasia fièrement Lisa.

– J'imagine que cette chose est destinée à la salle de jeux? demanda Jeannie, mal remise de sa surprise.

– Exactement, confirma Cathlyn en consultant sa montre. Il est à toi. Bon, si nous ne partons pas sur-le-champ, je ne serai jamais à l'heure à la vente. On se retrouve là-bas, ajouta-t-elle pardessus l'épaule en dévalant les marches du perron.

Marc la déposa chez elle, non sans lui avoir promis que Jones irait chercher sa petite voiture, qui était restée garée devant le bar du piano, dans la soirée. Elle se rua littéralement sous la douche, pouffant de rire au souvenir des mémorables événements de l'après-midi. Quelques minutes plus tard, plantée devant son miroir sans quitter l'horloge du regard, elle se coiffa, se maquilla et se parfuma avant d'enfiler sa robe de soie noire. Après un dernier coup de brosse dans ses longs cheveux d'ébène, elle attrapa son sac à main et courut rejoindre Marc qui l'attendait certainement déjà devant chez elle.

10

– TU es ravissante, dit-il en la prenant dans ses bras. Et en plus, tu n'as que cinq minutes de retard.

– Merci, rétorqua-t-elle, tout sourire, en détaillant d'un œil admiratif le smoking noir de son compagnon. Tu n'es pas mal non plus.

– Qui pourrait croire qu'il y a deux heures, tu trimballais un piano violet dans les rues? taquina-t-il. C'est tellement invraisemblable que j'ai envie d'en parler à tout le monde.

– Tu ne ferais pas ça!

– Non, fit-il en lui ouvrant la portière de la limousine noire qui les attendait. Mais crois-moi, je le regrette.

Aussitôt qu'ils furent installés à l'arrière, le chauffeur prit la direction des berges du lac Michigan, dont la surface sombre reflétait la lueur de quelques étoiles éparses. De minuscules flocons de neige tombaient par millions sur la ville. Une douce musique emplissait le véhicule. En regardant Cathlyn, Marc se demanda s'il avait jamais été plus heureux qu'en cet instant précis. Il sourit.

– Ça va, Cathlyn? demanda-t-il en lui caressant la main.

– Oui, soupira-t-elle. Je suis si heureuse, Marc...

Bientôt, la limousine s'arrêta devant l'allée circulaire qui menait à l'entrée de l'hôtel *Continental*. Ils sortirent et, après quelques pas dans le froid, pénétrèrent dans le grand hall et gravirent un imposant escalier recouvert d'un tapis rouge pour rejoindre le salon où se tenait la vente aux enchères. Au sommet de l'escalier, près d'une caméra de télévision montée sur trépied, un reporter local interviewait les invités. En reconnaissant le jeune homme qui les avait interrogés dans l'après-midi pour l'affaire du piano, Cathlyn tressaillit.

– Marc! murmura-t-elle. Regarde, c'est lui.

– Lui qui? fit son compagnon en tournant la tête.

– Hé! s'écria le reporter. Je vous reconnais, vous deux! Le piano violet, c'était vous!

– Nous sommes prêts à tout pour aider le Foyer des anges, lui lança Marc au passage, sans ralentir le pas, avant de tourner la tête vers Cathlyn. Surtout, ne t'arrête pas. Leur caméra n'est pas portable, ils ne pourront pas nous suivre à l'intérieur.

– Parfait, murmura celle-ci, soulagée, en le suivant au milieu de la foule qui envahissait le salon. Assez de publicité pour aujourd'hui!

Parmi les invités, elle reconnut bientôt un sénateur de l'Illinois, le patron d'une importante compagnie publicitaire et une vedette du football local accompagné de sa femme. Plusieurs personnes vinrent saluer Marc, qui distribua force sourires, poignées de main et phrases aimables. Il sembla particulièrement content de rencontrer un jeune homme vêtu d'un jean et d'un sweatshirt qui arborait un anneau d'or à l'oreille gauche.

– Paul! Comment vas-tu? demanda-t-il avec chaleur.

– Ça va très bien.

– Cathlyn, je te présente Paul Marcel. Je suis sûr que tu as déjà vu ses sculptures métalliques sur la berge du lac.

La jeune femme, soudain intimidée, tendit la main à l'artiste mondialement connu qui lui souriait.

– Exposes-tu quelque chose ce soir? demanda Marc.

– Oui. Trois sculptures, là-bas au milieu. La meilleure, pour moi, c'est le *Vol de goélands*.

– Nous allons regarder ça de plus près, promit Marc en introduisant Cathlyn dans le salon suivant, une pièce splendide, entièrement décorée, dans le plus pur style contemporain, de marbre blanc et de métal.

Les tableaux y étaient exposés sous les feux scintillants d'innombrables chandeliers de cristal. Les sculptures qui trônaient au centre de la salle étaient en outre mises en valeur par des spots halogènes. L'effet était saisissant.

Près du buffet, qui dessinait un S gigantesque dans un coin du salon, les invités étaient réunis en petits groupes joyeux. D'autres étudiaient les œuvres exposées, échangeant à l'occasion quelques mots avec leur auteur, qui n'était jamais bien loin de ses œuvres. Plus loin, Cathlyn aperçut le bureau discret où un commissaire-priseur recevait les diverses offres d'achat.

Elle aperçut soudain Tom et Jeannie qui, noyés au milieu de la foule, lui faisaient de grands signes de la main. Profitant de ce que Marc avait engagé la conversation avec un industriel connu, elle s'éloigna pour aller retrouver ses amis.

– As-tu vu le flash régional de six heures à la télévision? lui demanda Jeannie aussitôt qu'elle les eut rejoints.

– Non, j'avais tout juste le temps de m'habiller.

– C'est dommage. Tu y étais.

– J'étais où?

– Tu es passée au flash de six heures. Avec Marc, Lisa et votre piano sexy!

– Oh, non..., soupira Cathlyn. Ils ont vraiment passé ça?

– Et comment! Avec en prime un topo complet sur Marc Harrison et sa nouvelle petite amie! On distinguait même parfaitement tes horribles chaussures roses!

Abattue, Cathlyn n'eut plus qu'à prier le ciel pour que tous les invités présents, trop occupés à se préparer, n'aient pas eu le temps d'assister à l'émission. Au même instant, Liz Harrison arriva par-derrière et l'embrassa sur les joues.

– J'espère que ce piano vaut tout le mal que vous vous êtes donnés, remarqua-t-elle d'un ton narquois.

– Je vois que vous aussi, vous avez suivi le flash.

– Oui, et en couleur, c'est bien le cas de le dire! Enfin, j'imagine que ce piano est ancien. Une fois décapé, vous pourrez sans doute le faire évaluer par un expert. Il a peut-être de la valeur.

– Pas besoin d'expert, marmonna Jeannie.

– C'est vrai, renchérit son mari. Nous avons là un authentique spécimen de l'ère des saloons.

Tous les quatre éclatèrent de rire. Marc arriva à son tour.

– Désolé, annonça-t-il, mais je suis obligé de

vous reprendre Cathlyn. Ma mère brûle de la rencontrer.

Il la prit par le bras et l'entraîna dans la foule.

– Sais-tu que nous sommes passés au flash de six heures avec cet immonde piano? lui glissa-t-elle.

– On me l'a dit, fit Marc en s'esclaffant.

– Quelle publicité pour mon cabinet! Et que va penser ta mère?

– Mais n'est-ce pas l'authentique Cathlyn Tate qui a été présentée à la télévision? taquina Marc.

– Pas du tout, protesta-t-elle. D'abord, ces tennis roses ne sont pas à moi, mais à ma secrétaire. Dire que les gens vont penser que...

– Je n'accorde pas la moindre importance à l'opinion des gens, coupa Marc en s'arrêtant pour lui sourire. Je t'aime comme tu es, point à la ligne. D'ailleurs, s'il n'y avait pas autant de gens autour de nous...

Une lueur espiègle dansait dans son regard lorsqu'il lui caressa tendrement la nuque. Cathlyn fut parcourue d'un frisson.

– Malheureusement, il va falloir attendre la fin de la soirée, murmura-t-il d'une voix chaude.

– Marc! supplia Cathlyn, frémissante de désir.

Docile, il retira sa main au moment où une voix féminine, douce mais ferme, s'élevait juste derrière eux.

– Marc, tu m'avais promis de me présenter Cathlyn. Vas-tu enfin te décider? J'attends toujours.

– Excusez-moi, mère, dit Marc en se retournant vers l'élégante dame aux cheveux argentés, vêtue d'une robe mauve, qui les avait rejoints. Voici Cathlyn Tate. Cathlyn, je te présente ma mère, Margaret Harrison.

– Enchantée de faire votre connaissance, madame Harrison, déclara Cathlyn en prenant la main qu'on lui tendait.

– Moi aussi, je suis ravie de vous être enfin présentée, répondit la femme avec chaleur. J'ai tellement entendu parler de vous par Marc, par Liz et même à la télévision aujourd'hui ! Quand j'ai vu combien vous étiez séduisante, j'avoue m'être demandé pourquoi Marc a mis si longtemps à nous présenter.

Cathlyn rougit imperceptiblement, mais fut aussitôt rassurée par le regard bienveillant de la vieille femme, qui rappelait étrangement celui de Marc. L'affaire du piano ne semblait pas l'avoir bouleversée outre mesure.

– Parlez-moi un peu de votre aventure de cet après-midi, ma chère, poursuivit Mme Harrisson en l'entraînant par le bras vers le buffet. J'ai entendu dire que vous vous êtes dévouée corps et âme à la cause du Foyer des anges.

En quelques minutes, Cathlyn fut séduite. Mme Harrison était chaleureuse, spontanée, et rit de bon cœur avec elle au récit circonstancié qu'elle lui fit de ses récentes péripéties. Marc, qui les avait suivies, se contentait de les écouter en silence. Sa mère était si fière de sa famille qu'il aurait eu quelque peine à lui expliquer que s'il ne lui avait pas présenté Cathlyn avant son départ pour l'Europe, qui remontait à plusieurs mois, c'était justement parce qu'à l'époque, il avait tout fait pour cacher à la jeune femme qu'il était lui-même un Harrison. Comme il s'apprêtait à prendre place près d'elles devant le buffet, sa mère se tourna vers lui.

– Marc, j'aimerais pouvoir bavarder quelques instants avec ta ravissante amie. Pendant que nous visitons l'exposition toutes les deux, pourquoi n'irais-tu pas retrouver Andy? Il te cherchait tout à l'heure.

Marc, qui n'avait nulle envie de délaisser Cathlyn, fronça les sourcils, mais sentit qu'il était inutile de discuter l'ordre voilé de sa mère. Après avoir effleuré l'épaule de la jeune femme en guise de salut, il partit dans la foule à la recherche de son frère.

Quelques instants plus tard, il le repéra au milieu d'un groupe rassemblé devant un tableau.

– Andy! lança-t-il. Il paraît que tu me cherchais?

– Et comment! répondit celui-ci en prenant l'épaule de son frère. Sers-toi un verre de vin et suis-moi.

Bientôt, Marc et Andy se réfugièrent dans le coin du salon le moins bruyant, derrière un pilier de marbre.

– Mon vieux, commença Andy d'une voix traînante, tu t'es fourré dans un joli guêpier.

– Qu'est-ce que tu veux dire? demanda Marc, inquiet, en avalant une gorgée de bordeaux.

– Tu te rappelles cette interview que tu as donnée l'année dernière au *Chicago Scene*?

– « Le célibataire du mois », opina Marc. Ils devaient la publier dans leur numéro de décembre dernier.

– Erreur, corrigea froidement Andy. Ils vont la publier.

– Impossible, répliqua Marc sans se départir de son calme. Je m'en suis occupé l'été dernier, tu te souviens? Je leur ai retiré mon autorisation de publier.

– Tu as cru le faire, rectifia de nouveau Andy. L'article était assez corsé pour leur plaire. Alors, ils ont réuni leurs avocats pour discuter la question. Finalement, ils ont décidé de prendre le risque de le sortir. Pas besoin de te dire que tout s'est fait très discrètement, pour t'empêcher de faire pression sur eux.

– Tu te fiches de moi, lâcha Marc, pâlissant, sans quitter son frère des yeux.

– J'aimerais bien, Marc. Figure-toi que je viens de passer le gros de la soirée avec le directeur du *Chicago Scene*. Le prochain numéro – avec ta photo en double page, torse nu et étendu sur un piano à queue – sera dans tous les kiosques la semaine prochaine.

– Non! s'écria Marc en abattant son poing sur le pilier de marbre. Je les en empêcherai! Je ferai appel à un avocat.

– Je suis avocat, Marc, rappela Andy. A mon avis, c'est un peu tard. On pourrait essayer de faire saisir le numéro, mais on n'a pas une chance sur un million.

– Bon sang, il doit pourtant bien y avoir un moyen!

Désespéré, Marc porta le regard sur Cathlyn, qui bavardait toujours avec sa mère, en cherchant à se rappeler les déclarations provocatrices qu'il avait faites au journaliste, notamment sur les femmes. Comment allait-il pouvoir se justifier?

– Je suis désolé, Marc, mais tu n'aurais jamais dû faire ce pari stupide au poker. Et si tu voulais vraiment tenir parole, il fallait au moins éviter de te laisser embobiner par ce journaliste de quatre sous.

– Tu ne crois quand même pas que je vais gentiment me résigner à voir ma vie privée sabotée par cette feuille à scandales!

– Tu penses à Cathlyn?

– J'ai mis des mois à la convaincre que je suis différent de l'image qu'on a généralement de moi ! Bon sang, comment pourrai-je lui expliquer que je ne suis pas un coureur de jupons quand elle aura ce torchon entre les mains, avec ma photo et mes commentaires sur les matelas à eau et les miroirs au plafond ?

– Je n'en sais rien. En tout cas, tu as intérêt à trouver vite quelque chose.

– Compte sur moi. Où est le directeur du *Chicago Scene* ?

– Là-bas, devant le buffet, répondit Andy en lui désignant un homme rondouillard. Du calme, Marc. Réfléchis à ce que tu fais.

– C'est tout réfléchi, maugréa Marc en s'éloignant à grands pas.

Toujours au côté de Margaret Harrison, Cathlyn disposait d'une bonne vue d'ensemble du fastueux salon. En voyant Marc se diriger vers le buffet, elle pensa qu'il allait se resservir un verre. Pourtant, il s'arrêta net devant un homme d'une cinquantaine d'années qu'il attrapa sans ménagement par l'épaule pour le forcer à lui faire face. Étonnée, Cathlyn fronça les sourcils. Tout en écoutant d'une oreille distraite la description émerveillée que lui faisait Mme Harrison des montagnes écossaises, elle continua d'épier la scène du coin de l'œil. Les deux hommes semblaient en colère. Avec force gesticulations, ils parlaient tous les deux en même temps. Au fil des secondes, le ton montait sensiblement. Cathlyn ne put saisir que quelques mots isolés au vol. Il était apparemment question d'un magazine et d'un procès. Bientôt, les gens se rassemblèrent en cercle autour des protagonistes. Quelqu'un posa la main sur l'épaule du gros homme pour l'apaiser, mais celui-ci l'écarta rudement.

– Je ne sais pas de quoi il retourne, remarqua Mme Harrison, mais mon fils et cet homme n'ont pas l'air d'accord.

– En effet. Peut-être qu'en allant rejoindre Marc, nous...

A l'instant où elle esquissait un premier pas vers le buffet, Marc attrapa le directeur par le col. Aussitôt, celui-ci tenta de lui donner un coup de poing. Cathlyn poussa un cri étouffé. Plongeant en avant, Marc gratifia son adversaire d'une bourrade si violente que le gros homme faillit s'effondrer au milieu des petits fours. Fort heureusement, quelqu'un le retint dans sa chute.

– Marc! s'écria Cathlyn en courant vers l'attroupement.

Son compagnon tourna la tête vers elle, puis jeta un regard de défi au gros homme, qui essayait de reprendre son équilibre.

– Tu vas bien? s'inquiéta-t-elle en lui prenant le bras.

– Oui, grommela-t-il en se dégageant sans douceur.

– Vous me paierez ça, Harrison, rugit l'autre.

– Vous aussi, répliqua Marc avant de se retourner vers Cathlyn. Viens, sortons d'ici.

Il lui prit la main et l'entraîna à grandes foulées vers la sortie, l'obligeant presque à courir pour le suivre. Sur leur chemin, les invités s'écartaient en murmurant.

– Quelle conduite! s'indigna juste devant eux un vieil homme distingué à la belle chevelure grise. Marc, on pourrait croire que tu as été élevé dans un saloon!

A l'expression de Marc, Cathlyn n'eut aucune peine à comprendre qu'elle était sur le point d'être présentée à son père.

– Voyons, John..., commença Mme Harrison.
– Père a raison, l'interrompit Marc. Ce n'était pas une très bonne idée, j'en conviens. Cela dit, ajouta-t-il avec un petit sourire, n'allez pas croire que je regrette ce que j'ai fait. Ce type est un parfait salaud! Bon, je crois que nous n'allons pas rester ici plus longtemps.
– J'imagine que c'est la jeune femme dont m'a parlé ta mère, remarqua M. Harrison, l'œil radouci, en contemplant Cathlyn.
– Père, je te présente Cathlyn Tate, dit nerveusement Marc.
– Je suis heureux de constater que tu as du goût, répondit le vieil homme en prenant la main de Cathlyn dans les siennes. Il était temps que nous fassions connaissance, mademoiselle.
– Désolé, mais nous ne pouvons pas rester, fit Marc.
– Quel dommage! s'exclama sa mère en se tournant vers Cathlyn. J'espère que vous viendrez bientôt dîner chez nous?
– Bien sûr, promit celle-ci. J'ai été ravie de vous connaître. A très bientôt, madame. Au revoir, monsieur.
Quelques instants plus tard, ils étaient sur le perron de l'hôtel, attendant qu'on leur amène la limousine.
– Qu'est-ce qui t'a poussé à te quereller avec cet homme? demanda-t-elle lorsqu'ils furent installés à l'intérieur.
– Je te l'ai dit, c'est un salaud. D'ailleurs, je préférerais ne pas en parler.
– Si c'est ce que tu veux..., soupira Cathlyn, vaguement blessée d'être ainsi mise à l'écart.
Dans la pénombre de l'habitacle, Marc se pencha sur elle et l'embrassa fougueusement,

presque férocement, en la serrant contre lui comme s'il craignait qu'elle ne s'enfuie.

– Je t'aime, Cathlyn... Bon sang, je t'aime!

– Je le sais, Marc..., répondit-elle, blottie au creux de son épaule.

Pendant plusieurs minutes, ils roulaient en silence, réfugiés dans les bras l'un de l'autre. Sentant qu'il lui cachait quelque chose, Cathlyn était envahie d'une sourde tristesse. Un mur invisible se dressait désormais entre eux, Marc en était parfaitement conscient mais ne pouvait se résoudre à lui avouer la vérité. Pour la millième fois, il se maudit d'avoir accordé cette interview le lendemain même de la partie de poker, sans prendre le temps de réfléchir, tel un adolescent qui brûle de se mettre lui-même à l'épreuve.

Sa seconde erreur, il l'avait commise en faisant confiance à la direction du magazine lorsqu'elle s'était engagée à ne pas publier l'article. Il aurait dû se douter qu'avec ces gens-là, un simple accord verbal était loin de suffire. Il lui fallait à présent consulter un autre avocat, dans l'espoir certes lointain qu'Andy ait pu se tromper et qu'il soit encore possible d'empêcher la parution de l'article.

– J'aimerais que tu me dises ce qui te tracasse, murmura Cathlyn. Tu n'as pas confiance en moi?

Mis au pied du mur, Marc jugea préférable d'attendre la suite des événements pour lui parler. D'après Andy, le magazine sortirait la semaine suivante. D'ici un jour ou deux, il serait certainement fixé. Pour affronter Cathlyn, il aurait alors les idées plus claires.

– Ce n'est rien d'important, Cathlyn, tenta-t-il de la rassurer en la serrant contre lui. Un problème d'affaires... Ce type n'a pas tenu sa parole.

– Dans ce cas, ta colère ne m'étonne pas, fit-elle avec un pauvre sourire. Le mensonge est la seule faute que je ne puisse pas supporter. D'ailleurs, tu dois le savoir, dit-elle en se redressant pour regarder par la vitre. Où allons-nous?

Marc hésita un instant. Avait-il choisi la bonne attitude?

– Chez moi, dit-il doucement. Cette nuit, j'ai envie de t'avoir près de moi.

11

Le lundi matin, lorsque Cathlyn partit pour son travail, Marc était tellement présent dans ses pensées qu'elle sentit à peine le vent glacé qui balayait Chicago. Après la vente aux enchères, elle l'avait suivi dans son duplex et n'était rentrée chez elle que le dimanche soir, après avoir passé dans ses bras un merveilleux week-end.

Elle gara sa voiture au parking plus tôt qu'à l'ordinaire et décida de faire un crochet par le kiosque à journaux qui, un peu plus bas dans la rue, était déjà ouvert. Après avoir feuilleté divers magazines, elle jeta son dévolu sur le dernier numéro de *Chicago Scene*, que le vendeur était en train d'installer sur l'étalage. En attendant à la caisse, elle en tourna distraitement quelques pages, à la recherche de la liste des cinquante meilleurs restaurants de la ville. Elle avait envie d'inviter Marc à dîner.

Soudain, découvrant la page centrale, elle devint pâle comme un linge. Marc, s'étalait sur papier glacé en double page, un sourire venimeux aux lèvres. « Le célibataire du mois aime le ski, le whisky écossais et les filles en manteau d'hermine », proclamait le titre.

D'un geste automatique, elle tendit au vendeur un billet de vingt dollars et s'en fut, magazine ouvert sous le bras.

– Hé, mam'zelle! Votre monnaie! lui lança le vendeur.

Lentement, la jeune femme revint sur ses pas pour prendre la poignée de pièces qu'il lui tendait. Dehors, une pluie fine s'était mise à tomber. Hébétée, elle entra dans un bar tout proche, commanda un café et, après avoir réglé le garçon, alla s'asseoir à une table dans le fond de la salle. Sans même prendre la peine de déboutonner son manteau, elle commença sa lecture.

« Argent facile, voitures de sport et belles blondes sont les principaux ingrédients de la vie de Marc Harrison, disait l'article. Le célibataire du mois obéit à une philosophie d'une grande simplicité, qu'on pourrait ainsi résumer : " Si tu ne t'amuses pas aujourd'hui, tu pourrais bien le regretter demain. " »

Cathlyn avala une longue gorgée de café brûlant et se força à continuer, regardant au passage les autres photos de Marc, en maillot de bain, au volant d'un cabriolet rouge et dans sa bibliothèque.

« Marc affirme s'être fait tout seul, sans l'aide de sa famille, qui pèse pourtant plusieurs millions de dollars. A son idée, riche ne signifie pas nécessairement collet monté. " Certaines personnes consacrent tellement de temps à leurs bonnes œuvres qu'elles passent à côté des meilleures choses de la vie ", déclare-t-il. A l'évidence, notre célibataire du mois est à l'abri de cette critique. Là où il entre, la température monte aussitôt et les femmes n'y sont pas insensibles. " Je les aime en manteau d'hermine, confie-t-il. Ce sont les plus excitantes. " Marc est d'ailleurs connu pour se présenter dans les meilleures soirées avec une fille à chaque bras, souvent blonde et toujours belle. »

Cathlyn but une nouvelle gorgée de café. L'article s'attardait ensuite à détailler ses escapades les plus croustillantes. Quand elle l'eut terminé, elle referma le magazine et resta un long moment à contempler le mur blanc qui lui faisait face. Elle ne ressentait aucune colère. A la place, une immense tristesse s'empara d'elle.

Marc l'avait trompée, tout comme son père avait autrefois trompé sa mère. Il s'était moqué d'elle. Et même s'il se trouvait une foule d'excuses – son père à elle n'en avait jamais manqué – cela ne changerait rien à l'affreuse vérité : elle était tombée amoureuse d'un mirage. Marc Harrison, le vrai, était là sous ses yeux, un sourire narquois aux lèvres. Elle se leva mécaniquement, abandonnant le magazine sur la table.

Il pleuvait toujours lorsqu'elle gara sa voiture devant la villa qui abritait la société Harrison S.A. A l'intérieur, une secrétaire aux ongles manucurés leva les yeux sur elle.

– Puis-je vous aider, mademoiselle ? s'enquit-elle poliment.

– Je voudrais voir M. Harrison, dit calmement Cathlyn.

– Avez-vous rendez-vous ? M. Harrison est occupé.

– Dites-lui que Cathlyn Tate est ici. Ce ne sera pas long.

La secrétaire hésita une seconde, puis décrocha le téléphone.

Quelques secondes plus tard, la porte du bureau s'ouvrit sur Marc qui marcha sur Cathlyn et la prit dans ses bras. Celle-ci se dégagea aussitôt.

– Puis-je te voir dans ton bureau ? demanda-t-elle d'une voix sèche, pour le maintenir à distance.

– Bien sûr, répondit-il, quelque peu désemparé.

Il la fit entrer puis referma la porte derrière eux.

– Cathlyn..., fit-il en lui posant la main sur l'épaule. Que se passe-t-il ?

– Assieds-toi, s'il te plaît, rétorqua-t-elle en désignant son fauteuil.

Après lui avoir jeté un regard intrigué, Marc alla s'asseoir sans un mot derrière son bureau. Face à lui, restée debout, Cathlyn le fixait avec une rare intensité. Elle savait qu'elle ne devait à aucun prix lui permettre de la toucher, sous peine de perdre tous ses moyens. Pendant quelques secondes, elle se contenta de le regarder en silence, songeant qu'elle venait de perdre le seul homme qui ait jamais compté à ses yeux.

– Je comprends maintenant les raisons de cette altercation à la vente aux enchères, dit-elle enfin d'une voix monotone.

Marc pâlit visiblement.

– Tu as lu l'article? balbutia-t-il. Je croyais qu'il ne devait sortir que la semaine prochaine et je m'apprêtais à t'en parler...

– Tu t'apprêtes souvent à me parler, coupa-t-elle, toujours aussi impassible, mais tu ne te décides jamais.

– Mais..., protesta-t-il en se levant.

– Non, lâcha Cathlyn. Rassieds-toi, je n'ai pas terminé.

Il sembla hésiter, puis finit par obéir.

– J'ai cru en notre histoire, poursuivit-elle, j'ai cru à ton amour et je me suis trompée. Je m'aperçois aujourd'hui que tout cela n'était qu'illusion. J'ai pris mes rêves pour la réalité.

– Cathlyn...

– Ce n'est pas fini. Je ne veux plus te revoir, Marc. Fini les mensonges, fini les mystères. Tu étais pourtant prévenu. Je ne veux plus entendre parler de toi. Dorénavant, tu ne fais plus partie de mon existence.

– Cathlyn, arrête! s'écria-t-il en se levant d'un bond.

– Tu m'as assez fait souffrir, reprit-elle d'une voix lugubre, avant d'inspirer profondément. Je t'ai aimé, Marc...

Sentant sa voix se briser, elle tourna les talons, sortit en trombe du bureau et, parvenue dans la rue, continua de courir parmi les hordes de piétons qui encombraient les trottoirs. Elle ne s'arrêta, hors d'haleine, que lorsque ses jambes refusèrent de la porter plus loin. D'un bref coup d'œil en arrière, elle s'assura que Marc ne l'avait pas suivie. Elle était désormais seule au cœur de la foule sans visage.

Elle erra longtemps au hasard des rues détrempées, finit par se retrouver sur la berge du lac et, fermant les yeux, offrit son visage aux cruelles caresses du vent glacé qui balayait l'eau grise en hurlant.

Ses pas finirent par la ramener inconsciemment à la porte de son immeuble. Incapable de chasser de ses pensées l'image de l'homme qu'elle aimait, elle pénétra lentement dans le hall silencieux. Parvenue devant son appartement, elle tremblait si fort qu'elle eut bien du mal à glisser la clé dans la serrure. Lorsqu'elle réussit enfin à l'ouvrir, le téléphone sonnait. Indifférente, elle ôta son manteau et se rendit à la cuisine pour faire du thé. La sonnerie se tut, puis reprit de plus belle. Cathlyn était décidée à ne pas répondre. Elle ne voulait parler à personne. Lorsque le silence retomba, le thé était prêt. Soudain, elle eut l'idée de brancher le répondeur dont elle ne se servait pratiquement jamais. C'était le plus simple moyen de faire taire le téléphone.

Le thé n'étant pas parvenu à dissiper le froid qui lui glaçait les membres, elle se fit couler un bain brûlant et ôta ses vêtements trempés. Immergée jusqu'au menton dans la baignoire, elle chercha en vain à se détendre, mais le chagrin fut le plus fort. S'il avait disparu de sa vie, Marc ne quittait pas un instant ses pensées. Elle se rendait compte qu'il lui faudrait sans doute un temps infini pour se libérer de son image.

En fin d'après-midi, on sonna à la porte. Sans même aller jeter un coup d'œil au judas, Cathlyn resserra la ceinture de son peignoir et but une nouvelle gorgée de thé. Le visiteur insista pendant une quinzaine de minutes, puis s'en fut.

A l'heure du coucher, lorsqu'elle éteignit les lumières du salon, Cathlyn remarqua le voyant rouge du répondeur qui clignotait furieusement. Elle décida d'écouter les messages de la journée. Aussitôt qu'elle eut appuyé sur le bouton, la voix de Marc emplit l'appartement.

– Pour l'amour du ciel, Cathlyn, débranche ce maudit engin! Rappelle-moi tout de suite chez moi, je veux savoir si tu vas bien!

Ensuite, ce fut le tour de Shirley.

– Docteur ? Je vous cherche depuis ce matin. Je suis sûre que vous êtes chez vous. J'ai failli prévenir la police, mais j'ai appris ce qui s'était passé en téléphonant chez Marc. Du coup, je ne savais plus trop ce que...

Agacée, Cathlyn déclencha le défilement rapide et la voix de Shirley se transforma en un gargouillis suraigu. A la première pause, Cathlyn revint en vitesse normale. Bientôt, la voix de Jeannie s'éleva.

– Tu n'as pas honte ? J'ai horreur de ces machines! Enfin, je te pardonne et je t'invite à déjeuner pour Thanksgiving... Avec ou sans Marc, à ta guise. Je viens d'avoir Shirley, elle est dans tous ses états. Rappelle-moi quand tu auras envie de parler, j'apporterai les croissants. Et n'oublie pas mon invitation. Même si tu n'appelles pas d'ici là, ton couvert sera mis!

Marc revint à la charge.

– Pourquoi ne veux-tu pas ouvrir ? Bon sang, Cathlyn, je sais parfaitement que tu es ici! Qu'est-ce qui ne va pas ?

Elle hésita un instant à l'appeler, mais se reprit aussitôt. Comme elle s'apprêtait à se coucher, quelqu'un frappa trois grands coups à la porte, puis trois autres.

– Police, annonça une voie bourrue. Ouvrez, ou nous enfonçons la porte!

– Un instant! lança-t-elle d'une voix tremblante en ajustant sa robe de chambre.

Sans détacher la chaîne, elle ouvrit le verrou et entrebâilla la porte. Deux policiers en uniforme attendaient sur le palier, revolver en main.

– Police, répéta l'un d'eux en brandissant sa plaque. Vous êtes bien Cathlyn Tate ?

– Oui, répondit-elle d'une voix plus ferme.

– Que faites-vous ici ? interrogea l'agent en rengainant son arme, non sans avoir consulté son collègue du regard.

– Je suis chez moi.
– Oui, mais... Vous avez été portée disparue. On vous recherche.
– Quoi ?
– Vous êtes sûre d'être Cathlyn Tate ? insista le plus jeune.
– Absolument certaine.
– Où étiez-vous aujourd'hui ?
– Je me suis promenée, puis je suis rentrée et j'ai pris un bon bain. Je n'ai pas bougé depuis, expliqua Cathlyn, un peu agacée. Qu'y a-t-il de mal à cela ?
– Pas grand-chose, fit le policier, vaguement penaud. Excusez-nous pour le dérangement, mam'zelle.
– Un instant... Qui est venu vous parler de ma disparition ?
– J'ai entendu le commissaire citer un certain Harrison.
– Je m'en doutais. Merci, messieurs, dit-elle en refermant la porte.
Dans le salon, le voyant du répondeur s'était remis à clignoter. Haussant les épaules, elle partit vers sa chambre. Marc, apparemment, n'était pas disposé à se laisser oublier si aisément.

Le lendemain, ayant laissé sa voiture en ville, Cathlyn dut prendre un taxi pour rejoindre son cabinet. Dans le courant de la nuit, elle avait pris la décision de poursuivre sa vie le plus normalement possible.
– Docteur ! glapit Shirley dès son entrée. J'étais tellement inquiète ! Avec tous ces appels qu'il y a eu, je...
– Bonjour, Shirley, fit-elle tranquillement pour couper court aux effusions.

– Tout va bien, docteur ?

– Parfaitement bien. La liste des rendez-vous est-elle sur mon bureau ?

– J'ai bien failli les annuler. Au fait, Marc a déjà téléphoné deux fois ce matin. Il faut absolument que vous le rappeliez tout de suite...

– Shirley ! Je ne veux parler à M. Harrison sous aucun prétexte, est-ce clair ?

– Vous ne pourrez pas le fuir éternellement, remarqua la secrétaire, visiblement sceptique.

– Apportez-moi la liste des rendez-vous dès que possible, fit Cathlyn en ouvrant la porte de son cabinet privé. Et n'oubliez pas de me dire qui est au bout du fil avant de me passer les appels.

Une fois seule, Cathlyn ouvrit les stores, mais ne vit rien au-dehors qu'un ciel uniformément gris qui avait la couleur du béton. D'où elle était, le monde semblait froid et hostile.

Après avoir frappé, Shirley entra pour lui remettre la liste des rendez-vous.

– M. Harrison est en ligne, annonça-t-elle.

– Shirley, je vous ai déjà dit que je ne voulais pas lui parler, répliqua Cathlyn.

– Je voulais seulement vous laisser une nouvelle chance, marmonna la secrétaire en se retirant.

Les heures passaient en traînant les pieds. Sans demander à Cathlyn si elle avait faim, Shirley alla chercher des sandwiches à la charcuterie. Les petits morceaux de dinde lui rappelèrent qu'une petite semaine seulement la séparait de Thanksgiving.

Elle parvint quand même au bout de cette pénible journée, puis au bout de la suivante et ainsi de suite. Après une semaine de solitude, Marc lui manquait encore terriblement, plus qu'elle ne se l'était imaginé, mais elle finit au fil du temps par s'habituer à son chagrin qui, même s'il ne diminuait pas, avait tendance à devenir plus supportable.

Après Thanksgiving, toute la ville se mit à penser à Noël. A l'extérieur des vitrines brillamment décorées de guirlandes multicolores, les pluies de novembre avaient cédé la place à une couche de neige qui s'épaississait chaque jour. Des foules enthousiastes se pressaient dans les grands magasins. La fête s'approchait à grands pas, mais Cathlyn s'en sentait irrémédiablement exclue.

Marc persistait à la harceler. Il laissait à Shirley des messages quotidiens auxquels elle ne répondait jamais. Tous les soirs, en outre, elle trouvait d'autres messages enregistrés sur son répondeur. Il lui prenait parfois l'envie de le rappeler, mais elle se ressaisissait toujours à temps.

Un mardi soir, excédé, Marc raccrocha son téléphone après une troisième tentative aussi infructueuse que toutes les précédentes. Arpentant sa bibliothèque de long en large, il se mit à réfléchir. Tous les jours, Shirley lui donnait des nouvelles de Cathlyn, mais ce n'était pas suffisant.

– Jones! s'écria-t-il. Venez un instant!

Son valet apparut aussitôt sur le seuil de la vaste salle.

– Avez-vous déjà été amoureux, Jones ?

– Il y a un certain nombre d'années, monsieur, répondit celui-ci, imperturbable, j'ai connu une jeune Irlandaise.

– Pourquoi ne pas l'avoir épousée ?

– Si ma mémoire est bonne, monsieur, répondit-il avec une ombre dans le regard, nous avons eu des mots et elle est partie avec un autre.

– Pas question que je la laisse me faire un coup pareil! gronda Marc en frappant du poing sur la table.
– Feriez-vous référence à miss Tate, monsieur ?
– Oui. Il doit bien y avoir un moyen de lui prouver que je l'aime.
– J'imagine que vous avez épuisé les approches traditionnelles, comme les fleurs, les restaurants ?
– C'est un peu gros. Elle ne répond même pas au téléphone!
– Je vois... Peut-être devriez-vous adopter une démarche plus originale.
– C'est-à-dire ?
– Eh bien... J'ai lu quelque part l'histoire d'un homme qui avait ravi le cœur d'une jeune fille en faisant jouer un orchestre à cordes sous ses fenêtres pendant toute une soirée.
– Vraiment ? Et ça a marché ?
– Ils se sont mariés un mois plus tard, monsieur.
– Parfait! s'écria Marc, soudain fiévreux. Je trouverai mieux qu'un orchestre, croyez-moi!
– Dans ce cas, monsieur, vous feriez bien de penser au plus tôt aux conséquences de votre geste.
– Quelles conséquences ?
– Je pense à la bague de fiançailles, monsieur, expliqua Jones avec un petit sourire. En cette période de fin d'année, mieux vaut vous y prendre à l'avance.
– Je m'en occupe, répliqua Marc. J'ai plusieurs petites choses à faire, d'ailleurs.

12

CE matin-là comme tous les jours, Cathlyn gara sa voiture au parking et s'insinua dans le flot des piétons qui remontaient l'avenue. Très vite, pourtant, elle sentit qu'il se passait quelque chose d'inhabituel. Levant les yeux, elle tomba en arrêt. Au beau milieu de la place qui faisait face à son cabinet se dressait le bonhomme de neige le plus gigantesque qu'elle eût jamais vu, puisqu'il mesurait six ou sept mètres de haut. Comme la plupart de ses pairs, il était doté d'un chapeau haut de forme, d'un sourire du guingois et d'une immense écharpe rouge qui flottait au vent. Cathlyn traversa la rue enneigée pour se mêler un instant à la joyeuse foule des badauds.

En s'approchant, elle vit que son bras gauche, qui avait le diamètre d'un tronc d'arbre respectable, brandissait une sorte d'énorme écriteau de plastique sur lequel quelque chose était imprimé. Sans doute était-ce une publicité, songea-t-elle, le sourire aux lèvres, en faisant lentement demi-tour. Derrière elle, pourtant, quelqu'un prononça son nom et elle se retourna encore. Un jeune couple hilare venait dans sa direction.

– Je me demande qui peut bien être cette Cathlyn, déclara la jeune femme à son rubicond compagnon.

– Aucune idée. Moi, j'aimerais bien savoir qui est Marc. Cathlyn sursauta. A coups de coude, elle se fraya un chemin dans la foule jusqu'aux pieds de l'immense bonhomme de neige. Lorsqu'elle eut déchiffré la pancarte, elle crut qu'elle allait défaillir.

« Je t'en prie, Cathlyn, reviens-moi. Je t'aime et j'ai froid sans toi. Marc », disait-elle en grandes lettres bleues.

Comment Marc avait-il osé faire une chose pareille, et qui plus est juste devant son cabinet? Dans quelques heures, tout le quartier ne parlerait plus que des amours contrariées de Marc et Cathlyn, et son identification n'était qu'une question de temps! Hébétée, elle leva encore une fois les yeux sur le grotesque colosse. Il avait certainement loué des machines et engagé une équipe d'ouvriers pour la nuit. Mais où avait-il déniché ce haut-de-forme d'un mètre de diamètre? Sans trop savoir si elle devait rire ou pleurer, Cathlyn partit d'un pas vif vers son immeuble, sans lever le nez avant d'avoir trouvé refuge dans un ascenseur vide. Arrivée au vingt-septième étage, elle redressa la tête, tenta de se composer une contenance et pénétra dignement dans la salle d'attente de son cabinet.

– Bonjour, Shirley.

– Bonjour, docteur, répondit celle-ci en souriant jusqu'aux oreilles.

– Je sais, Shirley. J'ai vu le bonhomme de neige.

– Difficile de faire autrement! pouffa la secrétaire.

– Peut-être, mais j'ai décidé de l'ignorer, répliqua Cathlyn en disparaissant dans son cabinet privé.

– Ça vous demandera pas mal de persévérance, lui lança Shirley de loin. Il est sûrement là jusqu'au printemps!

– Inutile de me le rappeler. Contentez-vous de filtrer les appels. Je n'ai aucune envie de parler aux curieux.

– D'accord. Mais à mon avis, vous auriez plutôt intérêt à téléphoner à Marc. Sinon, vous n'êtes pas sortie de l'auberge!

Malgré ses instructions, Cathlyn fut bien forcée de parler du bonhomme de neige à tous les patients qui vinrent la consulter ce jour-là. Derrière la baie vitrée qui s'ouvrait derrière son bureau, on ne voyait que lui.

– Un homme doté d'une telle imagination vous rendra certainement heureuse, lui déclara la vieille Mme Bixby. Épousez cet homme, docteur. Ne le laissez pas filer, vous pouvez m'écouter!

Ce conseil, elle l'entendit sous des formes variées tout au long de la journée.

En ouvrant le journal le lendemain matin à la page locale, elle repéra immédiatement le portrait encadré du souriant bonhomme de neige. Elle étouffa un juron et referma le quotidien.

Shirley lui apprit que la nouvelle s'était répandue à travers le pays. De New York à la Californie, des millions de personnes savaient que Marc avait froid sans Cathlyn.

A la fin de la semaine, cependant, lorsque la rumeur se fut apaisée, Cathlyn finit par s'habituer à l'énorme silhouette qui saluait son arrivée tous les matins. Mais chaque fois qu'elle posait les yeux sur la pancarte aux lettres bleues, une douleur lancinante lui déchirait le cœur. Le vendredi, elle alla même jusqu'à composer les cinq premiers chiffres du numéro de Marc sur son téléphone, mais se décida soudain à raccrocher.

Malgré un léger réchauffement pendant le week-end, le bonhomme de neige était toujours là, fidèle au poste et souriant, le lundi matin. Dans la salle d'attente de son cabinet, elle s'attarda un moment pour caresser les pétales de ses pétunias.

– N'oubliez pas de les arroser, Shirley, dit-elle avant d'entrer dans son cabinet pour se préparer à recevoir Mme Bixby.

Celle-ci arriva une quinzaine de minutes plus tard, chaussée d'énormes après-ski.

– Ma fille n'a pas pu venir, expliqua-t-elle. Il y a trop de neige. Quant à moi, je... Oh! Ca alors!

Elle s'était arrêtée net et, bouche bée, contemplait fixement la baie vitrée à laquelle Cathlyn tournait le dos.

– Madame Bixby? s'écria Cathlyn en se levant d'un bond pour lui prendre le pouls. Que se passe-t-il?

– Ça va très bien, déclara Mme Bixby en retirant sa main. Mais regardez donc par la fenêtre! Ça alors!

Cathlyn se retourna et ne vit rien.

– Il n'y a rien de spécial, dit-elle un instant plus tard en revenant vers Mme Bixby, qui peut-être, comme sa fille le prétendait, était en train de perdre la tête.

– Attendez un peu, il va revenir, dit-elle en se levant pour s'approcher de la vitre, suivie de près par Cathlyn. Tenez, docteur! Le revoilà!

Elle lui indiqua du doigt un minuscule avion qui bourdonnait au loin dans l'azur.

– Surtout, ne le quittez pas des yeux, ordonna Mme Bixby.

Fascinée, Cathlyn vit peu à peu grossir la silhouette argentée qui passait et repassait devant la fenêtre de plus en plus près, de plus en plus bruyamment.

– Vous la voyez? Vous voyez sa bannière?

Cathlyn hocha la tête. L'avion traînait en effet derrière lui une bannière rouge vif d'une quinzaine de mètres sur laquelle se détachaient d'énormes lettres blanches. Au passage suivant, elle put lire ce qui était écrit dessus.

« Envolons-nous ensemble, Cathlyn. Je t'aime. Marc. »

– C'est bien ce qu'il me semblait avoir lu! s'écria Mme Bixby, débordante d'enthousiasme. Cet homme est unique!

– Je ne vous le fais pas dire, soupira Cathlyn en se laissant tomber dans son fauteuil.

Incrédule, elle regarda l'avion repasser une nouvelle fois sous ses fenêtres. Combien de temps cela allait-il durer?

– Le revoilà encore! s'exclama Mme Bixby. J'ai bien envie de remettre notre séance à plus tard, docteur. Je descends voir ça de plus près, ajouta-t-elle en enfilant son vieux manteau en peau de lapin. Épousez cet homme... A la semaine prochaine!

En regardant s'en aller la vieille femme, Cathlyn secoua la tête et se demanda qui d'elles deux, ce jour-là, était la véritable psychologue. Elle suivit des yeux la bannière qui défilait une nouvelle fois et se détourna vivement de la fenêtre lorsque Shirley entra.

– Docteur? dit-elle en lui tendant un papier. Pourriez-vous rappeler ces personnes? Ce sont des...

A cet instant, l'avion repassa devant la fenêtre.

– « Envolons-nous ensemble, Cathlyn. Je t'aime. Marc. », lut à haute voix Shirley.

Elle poussa un sifflement d'admiration.

– Je sais lire, bougonna Cathlyn.

– Un journaliste a téléphoné, remarqua la secrétaire. Il voulait savoir si vous avez également quelque chose à voir avec le bonhomme de neige... Il aurait également souhaité obtenir des renseignements sur une curieuse collision, survenue le mois dernier, entre une voiture de police et un piano violet.

– Vous direz à ce type que...

– Rassurez-vous, c'est déjà fait.

– Très bien, soupira Cathlyn en arpentant la pièce. Fermez les stores, s'il vous plaît.

– Non. Il faut qu'ils restent ouverts.

– Et pourquoi ?

– Parce que vous allez maintenant recevoir M. Thomas qui, je vous le rappelle, est claustrophobe et exige de s'asseoir face à la fenêtre.

– Soit. Dans ce cas, je tournerai le dos à la fenêtre, moi.

– Bonne idée, observa Shirley, tout sourires. Comme ça, vous me raconterez ensuite quel effet ça vous fait.

Pendant les trois heures suivantes, l'avion ne cessa de passer et repasser devant ses fenêtres, sous l'œil émerveillé et surpris de ses patients successifs, qui comprenaient mal pourquoi Cathlyn lui tournait si obstinément le dos. En dépit de ses efforts répétés pour les faire parler de leurs problèmes personnels, ils préféraient tous ramener la conversation sur elle et Marc. Ce soir-là, en rentrant chez elle, Cathlyn était épuisée. Elle évita soigneusement le journal télévisé local et téléphona à Jeannie.

– Tu ne m'aides pas beaucoup, Jeannie, protesta-t-elle en écoutant les éclats de rire qui secouaient son amie à l'autre bout du fil.

– Excuse-moi, bredouilla celle-ci, mais c'est vraiment trop drôle! Marc a une sacrée imagination! Et quelle persévérance! Les filles ont toutes vu l'avion au journal local. Pour être honnête, Cathlyn, elles ont complètement pris parti pour Marc. Pourquoi ne l'appelles-tu pas? Ca ne sert à rien de fuir la réalité.

– Je ne fuis pas..., commença Cathlyn.

– Bien sûr que si! Je ne te blâme pas d'avoir été agacée par cet article, mais tu dois bien comprendre qu'il ne te connaissait sans doute pas encore quand il a accordé cette interview. Il faut souvent compter six mois ou un an avant qu'un magazine de ce genre ne publie un article. Ce n'est pas de la presse d'information, Cathlyn.

– Peut-être, répondit la jeune femme après un instant d'hésitation, je n'y avais pas pensé. Mais ça ne change rien. Il m'a caché la vérité... Comme le faisait mon père.

Il y eut un long silence à l'autre bout de la ligne.

– Tu ferais bien de réfléchir, Cathlyn. Marc Harrison n'a rien à voir avec ton père. Je crois que tu es en train de commettre une erreur grossière.

Après avoir raccroché, Cathlyn, agacée, se mit à déambuler dans le salon. Pourquoi tout le monde s'ingéniait-il à lui soutenir qu'elle se trompait?

Cette semaine-là, l'avion revint la narguer tous les jours avec une bannière de couleur différente, de neuf heures à midi. Jamais Cathlyn n'avait été aussi impatiente de voir arriver le week-end.

Pourtant, malgré ses espérances, les choses ne s'améliorèrent pas beaucoup. Le dimanche après-midi, après avoir été clouée chez elle pendant deux jours par une tempête de neige, elle faillit appeler Marc, sans trop savoir si c'était pour lui dire de cesser de l'importuner ou pour reconnaître sa défaite et proposer une trêve.

Le lundi matin, au volant de sa voiture, elle fut surprise de l'ampleur inhabituelle des embouteillages et brancha l'autoradio pour essayer d'en savoir plus. Le flot de véhicules n'avançait pas d'un millimètre sur Michigan Avenue. Coincée entre deux voitures, elle écouta une chanson de Noël et augmenta le volume lorsque commença le bulletin d'information de la sécurité routière. Cathlyn était protégée des rayons du soleil matinal par un gigantesque panneau d'affichage qui se dressait au sommet d'un gratte-ciel et semblait, d'où elle se trouvait, obstruer la moitié du ciel.

– Mes amis, annonça le présentateur, nous avons enfin localisé la source du curieux bouchon qui bloque Michigan Avenue. Je vous conseillerais de vous accrocher à votre volant, car c'est à peine croyable. Il n'y a pas le moindre accident dans les parages. Figurez-vous que tout simplement, les chauffeurs s'arrêtent d'eux-mêmes. Et vous savez pourquoi? Apparemment, Marc a décidé de relancer Cathlyn, ce qui ne vous surprendra qu'à moitié, chers auditeurs. Et pour clamer son amour, il a tout simplement loué le plus grand panneau publicitaire géant de Chicago!

Stupéfaite, Cathlyn jeta un regard incrédule sur l'autoradio.

– Cathlyn, si vous nous entendez, poursuivit le présentateur, permettez-moi de vous dire que vous nous ôteriez une belle épine du pied en épousant Marc!

Elle poussa un soupir et, plissant les yeux, se pencha en avant pour tenter de voir plus clairement le gigantesque panneau publicitaire qui se dressait à contre-jour, mais il lui fallut attendre d'avoir avancé de quelques mètres. D'un rouge éclatant, il arborait en son centre un cœur de plusieurs mètres de diamètre, de couleur blanche, percé d'une flèche. En dessous, elle put lire la phrase « Marc aime Cathlyn », tracée d'une écriture enfantine.

Reprenant ses esprits, elle écrasa le frein pour éviter de percuter la voiture qui la précédait. Devant, des centaines de chauffeurs sortaient la tête par la portière pour mieux voir l'affiche. Elle ne se souvenait pas d'avoir jamais vu pareille pagaille sur Michigan Avenue.

Lorsqu'elle arriva enfin à son cabinet, Shirley lui lança un grand sourire.

– Bonjour, docteur! Tiens, vous êtes en retard aujourd'hui.

– Un petit peu, marmonna Cathlyn, certaine qu'elle savait déjà tout.

– C'est à cause de l'affiche de Michigan Avenue?

– Peut-être.

– Lorsque la presse appellera, devrai-je dire que...

– Je n'ai aucune déclaration à faire, coupa Cathlyn, souriante, en entrant dans son cabinet.

– Vous ne voulez vraiment pas épouser ce malheureux? lui lança Shirley à travers la porte close. Des millions de gens vous en seraient éternellement reconnaissants!

Postée à la fenêtre, Cathlyn ne daigna pas répondre.

– Vous vous taisez, c'est bon signe! insista Shirley. Ça prouve au moins que vous réfléchissez!

Elle ne se trompait pas, en effet. Pendant toute la semaine, jour et nuit, Marc fut omniprésent dans ses pensées. Loin d'avoir diminué, l'amour qu'elle lui portait semblait avoir été décuplé par le temps. Il lui manquait affreusement. Tous les matins, elle réprimait un petit sourire en passant devant l'affiche géante qui proclamait la flamme de Marc. Un peu plus tard, elle était accueillie par le bonhomme de neige, que la pollution faisait grisonner. Son sourire, qui avait quelque peu fondu, paraissait triste. Était-ce une simple illusion?

Pendant le week-end, Cathlyn appela sa sœur pour lui dire qu'elle ne viendrait pas passer Noël à Detroit. Elle se sentait incapable de feindre une joie qu'elle ne partageait pas. Le samedi après-midi, pourtant, après avoir fait ses dernières emplettes de Noël, Jeannie passa la voir.

– Tu ne peux pas passer Noël toute seule! s'indigna-t-elle. Je ne te laisserai pas faire!

– J'ai besoin d'être seule pour faire le point, Jeannie.

Jeannie se leva et la regarda dans les yeux.

– Appelle-le, Cathlyn. C'est ce que tu as de mieux à faire.

– Je sais, soupira celle-ci, sans détacher le regard de sa tasse de thé.

Au soir de Noël, il neigeait sur la ville. Quand elle eut fini de décorer son petit sapin, Cathlyn s'assit en tailleur sur la moquette pour ranger les boîtes où elle gardait les boules et les guirlandes. Sa décision de rester seule lui pesait de plus en plus. Certes, elle en voulait toujours à Marc, mais au fil du temps elle en était venue à éprouver quelques doutes sur le bien-fondé de sa colère. Dans son esprit, le comportement de Marc était souvent associé à celui qu'avait eu autrefois son père, de sorte qu'elle ne parvenait pas toujours à démêler précisément ce qu'elle lui reprochait. Mais était-ce une raison pour le fuir ainsi? Pourquoi craignait-elle tellement de le laisser s'expliquer? Force lui était admettre que son isolement ne lui avait rien apporté : elle l'aimait toujours davantage, et lui n'avait pas cessé un seul instant de la poursuivre. Sans doute valait-il mieux regarder la réalité en face.

Elle décrocha le téléphone et composa le numéro de Marc. Quand la sonnerie d'appel se mit en branle à l'autre bout du fil, elle fut traversée d'un frisson. L'esprit vide, elle attendit. Deux sonneries, trois, puis dix, vingt... Finalement, elle raccrocha en poussant un soupir. Peut-être, comme l'année précédente, était-il au ski, peut-être se trouvait-il chez ses parents. Cathlyn se laissa tomber dans le fauteuil. Jamais elle ne s'était sentie aussi seule.

Bien après minuit, elle se décida à se mettre au lit, mais dut attendre longtemps le sommeil. Elle se leva néanmoins avant l'aube et, assise à la table de la cuisine, but un bol de café. Soudain, elle sursauta en entendant quelqu'un sonner à la porte. Ce ne pouvait être que Marc. Elle se leva d'un bond et courut à l'entrée. Dès qu'elle eut ouvert la porte, une immense déception s'afficha sur tous ses traits.

– Joyeux Noël! lui lança le coursier en uniforme bleu en lui tendant une petite enveloppe de couleur crème. Un pli express pour vous, mademoiselle.

Ce ne fut qu'après avoir refermé la porte qu'elle reconnut l'écriture de Marc. Elle rentra au salon, s'assit sur le canapé et défit l'enveloppe d'une main tremblante.

« Cathlyn chérie, lut-elle, j'ai essayé par tous les moyens possibles de te dire combien je t'aime. Mais il n'y a pas de mots pour décrire l'amour, tout comme il n'y a pas de mots pour décrire l'horrible solitude qui m'accable depuis que nous sommes séparés.

« Je passe toutes mes soirées assis devant la fenêtre à contempler les lumières de la ville et me répéter sans cesse qu'une de ces lumières est la tienne, Cathlyn. Je me demande souvent ce que tu fais, ce que tu penses, si tu souffres autant que moi. Nous avons perdu un bien précieux, mais j'espère que ce n'est pas pour toujours, car je ne peux me résoudre à vivre sans toi.

« Tu as tes raisons, Cathlyn. Tu m'as fait confiance et je t'ai caché la vérité. Mais si je l'ai fait, c'est parce que je t'aime. Quant à l'interview, j'ai dû l'accorder après avoir perdu une partie de poker. C'était il y a plus d'un an, avant notre rencontre. Ensuite, j'ai tenté d'empêcher sa parution et, jusqu'à la vente aux enchères, je croyais que c'était une affaire classée. J'aurais dû t'en parler sur-le-champ, c'est vrai, mais encore une fois je craignais de te perdre. Hélas, l'article était pire que je ne me l'imaginais. Certes, j'ai dit et fait dans ma vie un certain nombre de choses dont je ne suis pas fier, mais le journaliste en question n'a pas hésité à déformer tous mes propos. Je ne voudrais pas que tu croies que je suis réellement tel qu'il me présente.

« Je ne viendrai pas à toi, puisque tu ne veux pas me voir. Pourtant, je brûle de te serrer dans mes bras et te dire à quel point je t'adore. Je ne peux pas vivre sans toi, Cathlyn. Tu es la seule chose qui compte à mes yeux..

« Je passerai le déjeuner de Noël au Foyer des

anges, comme tu as vainement essayé de le faire l'année dernière. Trouveras-tu au fond de ton cœur la force de me pardonner et de m'y rejoindre? Je t'aime. Marc. »

Les yeux baignés de larmes et le cœur débordant d'amour, Cathlyn reposa la lettre, puis la reprit et la lut encore. Tel était le véritable Marc Harrison, songea-t-elle avec émotion. Tel était l'homme qui avait ravi son cœur. Elle avait enfin la certitude absolue de son amour. Le bonhomme de neige, l'avion et le panneau publicitaire géant n'étaient pas entièrement parvenus à la convaincre des sentiments de Marc. Mais dans cette lettre, il s'était contenté de lui dire franchement et simplement la vérité. Désormais, elle savait qu'il l'aimait.

S'étant levée, Cathlyn alla jusqu'à la fenêtre du salon, sans lâcher la lettre de Marc. Derrière le givre de la vitre, le pâle soleil de décembre se levait sur le lac. Marc! Elle mourait d'envie de se jeter dans ses bras, de ne faire plus qu'un avec lui...

Elle relut le dernier paragraphe de sa lettre. « Trouveras-tu au fond de ton cœur la force de me pardonner et de m'y rejoindre? » Lui pardonner? Pressant l'enveloppe contre son cœur, elle éclata de rire. N'était-ce pas plutôt à elle de se faire pardonner? Elle regarda sa montre et partit vers sa chambre d'un pas vif.

Une heure plus tard, les trois quarts de sa garde-robe étaient répandus en désordre sur son lit, les chaises et à même la moquette. Jamais de sa vie elle n'avait eu autant de mal à choisir ce qu'elle allait mettre.

Enfin, après d'interminables hésitations, elle dénicha au fond d'un placard la robe de soie rouge qu'elle portait l'année précédente en rentrant de Detroit, le jour où elle avait rencontré Marc à l'aéroport. Un sourire illumina aussitôt son visage quand elle promena ses longs doigts sur l'étoffe. Après l'avoir passée, elle mit les boucles d'oreilles ornées de rubis qu'il lui avait offertes l'été dernier. Après un dernier examen devant son miroir, elle enfila son manteau, puis prit son sac à main et sa guitare. Son cœur faisait des bonds d'enthousiasme.

Quand elle s'installa au volant, une neige fine tombait sur Chigago. Roulant lentement dans les rues désertées, Cathlyn revit en souvenir leur incroyable rencontre de l'année précédente. Il s'était passé tant de choses depuis! Elle avait connu un immense bonheur, suivi d'une terrible période de chagrin qui s'était étirée jusqu'au matin même. Mais en ce jour de Noël, une nouvelle ère commençait, songea-t-elle en souriant. Parvenue devant le foyer, elle gara sa voiture jaune entre deux monceaux de neige.

– Joyeux Noël! lui lancèrent en chœur les filles, rassemblées sous le perron, tandis qu'elle remontait l'allée enneigée.

– Joyeux Noël! répondit-elle en les serrant une à une dans ses bras.

– Nous avons vu sous l'arbre tous les cadeaux que tu nous as faits! s'écria Lisa en la suivant dans le vestibule.

– Rassure-toi, nous n'y avons pas encore touché! précisa une autre au moment où Cathlyn posait sa guitare. On t'attendait!

– Cathlyn! lança Jeannie en la gratifiant d'une étreinte vigoureuse. Je suis tellement contente que tu te sois décidée!

– Moi aussi, admit la jeune femme en accrochant son écharpe au portemanteau, où elle chercha en vain le pardessus de cachemire beige de Marc. Il est ici?

– Qui donc? rétorqua innocemment Jeannie.

– Cathlyn voudrait voir son petit ami, plaisanta une des filles, et il n'est pas ici!

– Regardez! renchérit une autre. Elle rougit! Bientôt, ses joues auront pris la couleur de sa robe!

– Ça suffit! intervint Jeannie. Allez, tout le monde au salon! Tommy, il manque un verre de champagne!

Son mari apparut presque aussitôt, une coupe à la main, et embrassa Cathlyn.

– Nous avions déjà les chœurs, il ne manquait plus que l'orchestre, dit-il gaiement. A présent, Noël peut commencer!

Après avoir bu une gorgée de champagne, Cathlyn suivit ses hôtes dans le salon bondé. Malgré la foule, pourtant, il lui semblait vide. Où était Marc? Dans la cheminée, un grand feu crépitait joyeusement. Si le nouveau papier peint avait déjà été posé, il faudrait attendre encore un mois l'arrivée des meubles neufs.

Quelqu'un entonna *Mon beau sapin*, aussitôt repris en chœur par tous les autres. Tout en chantant, Cathlyn étudia l'arbre de Noël, entièrement décoré d'angelots de toutes formes, qu'ils soient en bois, en métal ou en papier mâché. Au faîte du sapin trônait l'ange de cristal qu'elle avait offert à Jeannie l'année précédente. Quand la chanson fut terminée, l'absence de Marc se fit ressentir de plus belle au fond de son cœur. Était-il possible qu'il ait changé d'avis et décidé de ne pas venir?

– Encore un peu de champagne? proposa Tom, bouteille en main.

– Viens t'asseoir près de moi, lui lança Lisa en se décalant pour lui faire une petite place sur la canapé défoncé.

Cathlyn sourit et vint à elle. Au moment où elle s'asseyait, quelqu'un frappa énergiquement à la porte d'entrée, soulevant dans le salon une vague de murmures. Soudain, avant que quiconque ait eu le temps d'esquisser un geste, des pas résonnèrent dans le hall et le Père Noël fit irruption sur le seuil de la pièce, porteur d'une énorme hotte brune.

– Joyeux Noël, tout le monde! lança-t-il d'une grosse voix.

– Joyeux Noël! lui répondirent les filles en pouffant de rire.

Cathlyn, hypnotisée, regardait l'apparition. Il était venu. Sous le déguisement traditionnel, c'était bien son nez, sa voix... Ses yeux, telles deux émeraudes, dardaient sur elle leur éclat flamboyant. Un indicible bonheur l'envahit.

Lorsque le calme fut revenu dans le salon, il se tourna vers les filles et posa sa hotte sur le tapis.

– Voyons un peu ce que nous avons là-dedans, proposa-t-il joyeusement en sortant le premier cadeau.

Sans mot dire, Cathlyn le regarda offrir un à un ses cadeaux aux adolescentes en leur souhaitant un bon Noël. Comment avait-elle pu douter un seul instant de sa générosité?

Lorsque la distribution fut terminée, il traversa la pièce bondée et s'arrêta devant Cathlyn et, après avoir fouillé dans la poche de son vaste pantalon rouge, il lui prit la main et glissa à son doigt une bague où scintillait un énorme diamant.

– Voici pour mon petit ange à moi, murmura-t-il tendrement. Veux-tu m'épouser, Cathlyn?

– Oui, Marc. Oui, je le veux, balbutia-t-elle en se jetant à son cou. J'ai eu tort... Je te demande pardon!

Leurs lèvres se rencontrèrent et scellèrent pas un tendre baiser une muette déclaration d'amour. Au bout d'un long moment, conscients du silence qui était retombé autour d'eux, ils se séparèrent à contrecœur.

– Regardez, lança une petite voix. Cathlyn a embrassé le Père Noël!

Il n'en fallut pas plus pour déclencher une tempête de cris et d'applaudissements parmi les pensionnaires. Jeannie s'approcha et les prit tous deux dans ses bras.

– Formidable! s'écria-t-elle, les larmes aux yeux. Depuis le temps que nous attendions cet instant... Le déjeuner est prêt! ajouta-t-elle à la cantonade. Tommy est en train de couper la dinde. Si vous voulez, vous pourrez nous faire un petit discours au dessert.

Cathlyn s'apprêtait à suivre Jeannie à la cuisine, mais Marc la retint par le bras.

– Je suis désolé, Jeannie, expliqua-t-il, mais nous ne pouvons pas rester. L'année prochaine, peut-être.

Jeannie se retourna vers eux.

– Pourquoi donc? s'enquit Cathlyn, étonnée.

– Parce que nous sommes attendus ailleurs, répondit-il avec une lueur malicieuse dans le regard. Excusez-nous, Jeannie.

– C'est dommage, répondit celle-ci. Cela dit, je vous comprends. Dans ce cas, profitez de ce que tout le monde est à la cuisine pour partir maintenant. Ça vous épargnera des explications fastidieuses avec les filles.

– Merci, Jeannie, fit Cathlyn en la serrant dans ses bras.

Lorsque Jeannie eut quitté la pièce, Marc se débarrassa prestement de son costume de Père Noël, aida Cathlyn à passer son manteau et l'entraîna vers la sortie. Une fois sur le perron, ils s'enlacèrent et échangèrent un brûlant baiser. Complètement grisée, Cathlyn s'abandonna voluptueusement au tourbillon d'émotions qui jaillissait au plus profond de son être.

– Marc..., souffla-t-elle. Cette bague est merveilleuse. Je t'aime... Je t'aimerai toujours. Je suis à toi, Marc.

– Tu es si belle... Viens, dit-il en la guidant vers sa voiture. J'ai tant de choses à t'expliquer!

– Non, Marc, objecta Cathlyn, s'arrêtant un instant. Tu n'as rien à expliquer. Tout est ma faute. De vieilles histoires, qui n'ont rien à voir avec toi, m'ont fait perdre le sens de la réalité... J'aurais dû faire la part des choses. C'est en lisant ta lettre, ce matin, que je l'ai enfin compris. Tu es si différent de mon père!

Il la reprit dans ses bras.

– Je t'aime mille fois plus que je n'aurais cru possible d'aimer quelqu'un, murmura-t-il. Et pourtant, j'ai failli te perdre... A partir de maintenant, il faudra tout nous dire. Toujours.

Cathlyn hocha la tête en souriant. Comme pour sceller leur promesse, ils s'embrassèrent à nouveau.

– Et maintenant, mon amour, dit-il enfin en ouvrant la portière de sa voiture, il faut y aller.

– Où donc? demanda Cathlyn, étonnée. D'après ta lettre, j'avais cru comprendre que tu comptais déjeuner ici.

Marc, souriant, lui décocha un clin d'œil espiègle.

– C'est vrai, mais j'ai changé d'avis. Nous sommes attendus ailleurs.

– Ailleurs? Mais où?

– *Chez Josie,* bien sûr!

Ensemble, ils partirent d'un rire qui rompit le silence de la rue couverte de neige.

Pour essayer de mieux vous satisfaire, les PRESSES DE LA CITÉ Poche sollicitent votre concours en vous demandant de bien vouloir répondre à ce questionnaire :

QUESTIONNAIRE

– Votre âge : ....

1. Vous habitez :

☐ Paris/région parisienne
☐ Une ville de plus de 100 000 habitants
☐ Une ville de 20 000 à 50 000 habitants
☐ Une ville de moins de 20 000 habitants

2. Vous avez acheté ce volume de Femme Passion

☐ Grande surface
☐ Kiosque de presse
☐ Librairie traditionnelle

3. Vous appréciez l'illustration des couvertures de notre nouvelle collection

☐ beaucoup ☐ assez ☐ pas du tout

4. Vous rachèterez des Femme Passion

☐ régulièrement ☐ de temps en temps ☐ jamais

5. Vous êtes aujourd'hui lectrice de Passion ou Club Passion

☐ régulièrement ☐ de temps en temps ☐ jamais

6. Vous souhaitez trouver dans cette nouvelle collection Femme Passion :

☐ des romans qui ressemblent à collection Passion
☐ des romans qui ressemblent à Club Passion
☐ des romans différents de Passion et Club Passion

Si vous souhaitez des différences, pouvez-vous nous indiquer lesquelles..

....

7. Femme Passion, 2 romans par mois ; à votre avis c'est :

☐ suffisant ☐ pas assez

En indiquant votre nom : ....
prénom : ....
adresse : ....

Ce questionnaire sera à retourner à :

Questionnaire FEMME PASSION
6 rue Garancière
75006 PARIS

avant le 15 février 1990

Les 500 premières réponses * qui nous parviendront recevront en cadeau un magnifique flacon d'eau de parfum « Femme Passion ».

* le cachet de la poste faisant foi

LA COMPOSITION, L'IMPRESSION ET LE BROCHAGE DE CE LIVRE
ONT ÉTÉ EFFECTUÉS PAR LA SOCIÉTÉ NOUVELLE FIRMIN-DIDOT
MESNIL-SUR-L'ESTRÉE
POUR LE COMPTE DES PRESSES DE LA CITÉ
LE 4 JANVIER 1990

Imprimé en France
Dépôt légal : Janvier 1990
N° d'impression : 13165